Meneer Sadek
en de
anderen

Kaweh Modiri

Meneer Sadek en de anderen

ROMAN

2012 Uitgeverij Thomas Rap

Op Bevrijdingsdag 1988 landde het KLM-toestel uit Istanbul op Luchthaven Schiphol. De zon scheen door de kleine ramen het vliegtuig in, dat was gevuld met Iraanse gezinnen die evenals wij waren uitgenodigd om in Nederland te komen wonen. Over het nieuwe thuisland kon niemand me iets vertellen, behalve dat het een oord van bloemen was.

In de aankomsthal werden we opgewacht door een man met grijze krullen en een bril. Naast hem stond een blonde vrouw die als tolk fungeerde.

'Welkom,' zei de man nadat de vluchtelingen zich om hem heen hadden verzameld. De vrouw vertaalde het met een westers accent en reikte vervolgens alle gezinnen een bos tulpen aan.

Buiten stond een glimmende dubbeldekker klaar om ons naar onze eerste verblijfplaats te rijden: een pension in Gelderland waar we enige tijd samen zouden wonen met alle andere genodigden uit het vliegtuig.

De verwondering en blijdschap op de gezichten van de zojuist gearriveerde burgers konden een stad doen oplichten.

Niet lang daarna betrok ik samen met mijn vader, moeder, broer en zus een duplexwoning aan de Meridiaan in Amersfoort, de meest middelmatige stad van Nederland, met de Lange Jan als hoogtepunt van zijn geschiedenis.

De kalmte van de stad, die elke avond om zes uur leek uit te doven, deed vermoeden dat het vluchten hier ophield, dat we nergens meer heen hoefden te gaan. Een gevoel waar ik maar moeilijk aan kon wennen.

Ons appartement in Teheran lag in een drukke volksbuurt in het oosten van de stad. In onze straat waren twee bakkers, een autogarage, een barbier en verscheidene groentewinkels. Het balkon aan de achterkant keek uit op de kurkdroge bergen in het noorden van de stad.

De vloer van de riante huiskamer was bedekt met een dof donkerblauw vloerkleed. Aan de lange zijde waren drie slaapkamers en aan de beide korte kanten lagen de keuken en de visitekamer, waar de tafels en banken waren bedekt onder witte lakens. Alleen als we visite hadden haalde mijn moeder die lakens eraf, zodat de stoffige kamer plotseling glinsterde als een sterrenstelsel, met een grote verscheidenheid aan exotische vruchten op de kristallen fruitschaal. De ruimte was gedecoreerd met Franse gestoffeerde stoelen en een eettafel met sierlijke eikenhouten poten, overblijfselen van toen mijn vader nog een winstgevende spiegelfabriek had. Nu was zijn fabriek gesloten en zat hij werkloos thuis. Evenals mijn moeder, die haar baan als lerares op een middelbare school had verloren.

Op een dag stond ik met mijn vader touwtje te springen op het balkon toen er op de deur werd geklopt. Mijn vader had niets in de gaten en bleef het touw met grote snelheid om zijn pezige lijf ronddraaien.

Ik hield het springtouw tegen mijn borst en keek nieuwsgierig om het hoekje. Mam leunde angstig tegen de deur, zodat die niet verder open kon. 'Wacht even! Laat me mijn hoofddoek pakken!' riep ze luid, zodat wij het konden horen.

Mijn vader hield op met springen en boog zich naar me toe.

'Wie is daar?' vroeg hij geschrokken. Hij had uitpuilende ogen en zijn inktzwarte snor hing streng over zijn bovenlip. Ik boog mijn hoofd, zodat ik in de woonkamer kon kijken. De voordeur stond op een kier, waardoor ik de twee gedaantes in de deuropening goed kon zien. Ze hadden volle baarden en droegen uniformen die je op straat nooit zag.

'Agenten,' fluisterde ik.

Mijn vader legde het springtouw op de grond en greep mijn schouders vast.

'Je hebt me niet gezien, heb je dat begrepen?' zei hij.

Hij zakte door zijn knieën en sprong katachtig over de balustrade. Op handen en voeten kwam hij neer in de tuin van de onderbuurman, krabbelde snel overeind en snelde op zijn slippers over straat.

Een van de agenten stond inmiddels in de woonkamer. Er hing een walkietalkie aan zijn gesp. Ik kon mijn ogen er niet van afhouden toen hij pal voor me stond. 'Hoe heet je?' vroeg hij me vriendelijk.

'Sam,' antwoordde ik.

'Wil jij er ook zo een?' Hij hurkte en reikte me het ding aan.

'Hier, pak 'm maar.' De lampjes van de walkietalkie knipperden aan en uit. Zelf had ik er ook een, maar die was van plastic en lang niet zo mooi als deze.

Het zou me op een pak slaag komen te staan van mam, zoals ik dat ook kreeg als ik te veel fruit van de visitetafel nam. Maar ik kon het niet laten. Ik graaide het speeltje uit de handen van de agent en begon aan de knopjes te draaien. Ik vroeg hem of die dingen nog steeds in Korea werden gemaakt, en wie er de meeste walkietalkies had van de hele wereld, Khomeini of Saddam. De agent verzekerde me dat wanneer de oorlog ten einde was Saddam geeneens papier zou hebben om zijn kont af te vegen.

'Weet je waar ik je vader kan vinden?' vroeg hij toen ernstig.

Ik zei dat ik het niet wist, en hield de walkietalkie voor mijn ogen, zodat hij me niet kon aankijken. Hij legde een hand in mijn nek en duwde met zijn duim mijn kin omhoog.

'Komt hij vanavond terug?' Zijn duim drukte stevig tegen de onderkant van mijn tong.

'Laat hem met rust!' zei mam. 'Mijn man komt hier niet. Dat heb ik u al verteld.'

De agent deed alsof hij haar niet hoorde.

'Als je zegt waar je vader is mag je de walkietalkie houden,' zei hij, en hij legde zijn grote hand tegen de zijkant van mijn gezicht, alsof mijn hoofd een tennisbal was die hij elk moment kon wegsmijten.

Ik trok me van hem los en begon weer aan de knopjes te draaien. 'Kun je hier ook vliegtuigen mee laten exploderen? Poekh! Boemm!'

De agent trok het ding ruw uit mijn handen en doorzocht het hele huis.

'We komen net zo vaak terug tot we hem vinden,' zei hij grijnzend tegen mam. 'Vertel hem dat maar.' Hij liep het appartement uit, gevolgd door de tweede, zwijgzame agent in de deuropening.

Toen de huiszoekingen steeds frequenter werden, en berichten over martelingen en executies van dissidenten in de gevangenissen steeds wijder verspreid raakten, besloot mijn vader dat het tijd was om het land te ontvluchten.

Mijn oom en hij waren allebei overtuigde communisten met even overtuigende communistische snorren. Ze hadden een grenzeloos vertrouwen in de Sovjet-Unie en waren er zeker van dat de pas aangestelde Gorbatsjov ons met trompetgeschal en eremetaal zou ontvangen als we eenmaal de gevaarlijke tocht hadden volbracht. Andere kameraden die op deze wijze de oversteek hadden gewaagd waren nooit teruggekeerd. Volgens mijn vader bekleedden die partijgenoten nu hoge functies in het Kremlin en liepen ze met handgemaakte zolen over het gepolijste marmer. In plaats van verhaaltjes voor het slapengaan vertelde hij me elke avond over de grootsheid van het communistische land. Hij deed dat zo gul en bedreven dat ik het klakken van de hakken al kon horen.

Op een ochtend werd ik wakker in bed met mijn jas en kleren aan. Het was nog donker buiten. Ik kon me niet herinneren dat we ergens heen waren geweest die avond, en vroeg me af of ik met mijn kleren aan in slaap gevallen was. Toen zag ik dat mam bezig was me mijn schoenen aan te doen. Tante en oom Ruz stonden in de woonkamer naar me te kijken.

'Sta op,' fluisterde mam. 'We gaan op reis.'

'Waar gaan we heen?' vroeg ik slaperig.

'Dat vertel ik je later. Opschieten nu! Iedereen wacht op je.'

Mijn oudere broer en zus waren ook al aangekleed en stonden met hun rugtassen om hun schouders in de deuropening. Ik wreef mijn ogen uit en kroop uit bed.

We liepen heel stilletjes de trappen af, zodat we de nieuwsgierige onderbuurvrouw niet zouden wekken. Ze kwam regelmatig bij ons aan de deur om iets te lenen of iets terug te brengen en gluurde dan altijd geniepig de woonkamer in om te zien wat daar gebeurde. Als mam zich na langdurig aandringen van haar kant genoodzaakt voelde om bij haar op de thee te gaan nam ze mij altijd mee, maar ze herinnerde me er elke keer aan dat ik geen antwoord mocht geven op haar listige vragen. 'Je herkent een verrader niet aan zijn schorre stem of zijn scherpe tanden, maar aan zijn ongewenste nieuwsgierigheid,' benadrukte ze. Als de buurvrouw me vroeg hoe het met me ging mocht ik zeggen dat het goed ging, en als ze me een stuk fruit aanbood moest ik zeggen: 'Nee, dank u.' Verder diende ik mijn lippen stijf op elkaar houden of te antwoorden dat ik het niet wist, ongeacht wat de vraag was. Dat hield ik net zo lang vol tot de nieuwsgierige onderbuurvrouw ervan overtuigd raakte dat ik achterlijk was en ze vroeg me ook niet meer hoe het met me ging.

We hadden een oude, witte Mercedes met ovale koplampen. De ruime, luie auto moest worden aangeduwd alvorens hij wilde starten. Maar hij was nog altijd beter dan de Amerikaanse Mustang die we daarvoor hadden, want die wilde zelfs niet starten als hij werd aangeduwd. Toch jammerde mam onophoudelijk dat de Mercedes een grote miskoop was geweest. Ze kon er uren over doorzagen tijdens het koken, tot pap op ontploffen stond. Soms bracht ze zelfs de desastreuze politieke omwentelingen van Iran in direct verband met de lamgeslagen Mercedes.

'Je weet niets van auto's,' pareerde mijn vader. 'Dit is een Duitse klasbak!'

We slopen stilletjes naar de auto. De vrouwen kropen achterin en ik hielp mijn broer en oom Ruz door hem aan te duwen. Toen de motor op gang kwam, sprongen we erin en reed mijn vader met gedoofde koplampen de weg op.

Mijn nichtje van drie sliep bij tante op schoot. Mijn neef, die naast oom Ruz op de bijrijdersstoel zat, had een boterhamzakje gevuld met deegballetjes. Hij had zijn raampje opengedraaid en gooide de rond gewreven balletjes een voor een uit het raam, zodat hij later de weg naar huis zou kunnen terugvinden. Nog voor we onze wijk uit waren was het boterhamzakje leeg en draaide oom Ruz het raam weer dicht.

Op het verkeersplein bij de bazaar was het al druk. We lieten de auto achter in een afgelegen steeg bij de terminal en namen een bus tot aan een grensstad in het noorden van het land, waar we de nacht doorbrachten in een vochtig huisje van een oude vrouw met een chador. Ze maakte een maaltijd voor ons klaar en liet ons de kamer zien waar we een paar uur konden uitrusten.

De volgende nacht werden we opgehaald door een tengere man met een hoed en een pick-uptruck. We stapten in de laadruimte en trokken een zeil over onze hoofden, zodat rondrijdende patrouilles ons niet konden zien. Mam vroeg steeds of we wel de goede kant op gingen, en of die man wel te vertrouwen was. Tante klaagde vooral over zijn rijgedrag. 'Niet zo hard,' siste ze hem toe van onder het zeil. 'Nog één zo'n bocht en we vliegen er allemaal uit!'

Even later zette de man ons af bij de laatste afslag voor de grens. Mijn vader betaalde hem het afgesproken bedrag en de man reed vlug weg.

Het laatste stuk moesten we te voet afleggen door het dichtbegroeide grensgebied. Oom Ruz had een zaklamp bij zich, waarmee hij het pad voor onze voeten bescheen. De droge takken kraakten onder onze voeten. Pas toen het begon te schemeren zag ik hoe dicht we langs een ravijn hadden gelopen.

In de ochtenddauw kregen we de hoge ijzeren hekken van de Sovjet-Unie in zicht. We moesten alleen nog een brede rivier oversteken en de laatste uitkijktoren van de Iraanse grenswacht passeren. Oom Ruz stroopte zijn broek op en nam me op zijn schouders de rivier in. Hij was de langste niet en verdween tot aan zijn neus in het water. Aan de andere zijde klom ik van zijn rug af en klauterde achter mijn tante aan over de modderige helling. Op de wachttoren lagen jonge soldaten met hun mitrailleur in de arm te slapen. Mijn vader liep voorop om de kust te verkennen. Een paar tellen later sloop hij terug en gebaarde dat we hem moesten volgen. Achter ons hoorde ik het water stromen langs de rotsen en het mos.

Bij het hek, op een veilig afstandje van de grenspost, knipte oom Ruz met een tang die hij in zijn broekzak droeg het dikke ijzerdraad door. Meteen begonnen er sirenes te loeien, zo luid als de oorlog. Er klonk geroep en er werden waarschuwingsschoten gelost.

Oom Ruz knipte zo snel als hij kon een gat in het hek

en gebaarde dat we erdoorheen moesten klimmen. Een voor een kropen we door de opening, tot we aan de andere kant op een verlaten bergweg stonden. De sirenes loeiden nog altijd oorverdovend. Ik keek naar mijn vader. Er zaten moddervlekken op zijn bril en hij stond er net zo radeloos bij als alle anderen. We keken naar de machtige berg voor ons, waar nu een machtige zon op scheen.

Plotseling zagen we op een heuvel in de verte een militaire wagen verschijnen.

'Daar komen onze vrienden!' zei oom Ruz opgetogen. Hij ging midden op de weg staan zwaaien, alsof de militairen oude kennissen waren die ons kwamen bezoeken.

'Kameradski! Hé, kameradski!' riep hij uitbundig. We voegden ons bij hem en sprongen op en neer, zodat ze ons niet zouden missen. Het voertuig reed ons met hoge snelheid tegemoet en kwam vlak voor onze voeten tot stilstand. Er stapten acht kale, boze soldaten uit die niet van elkaar te onderscheiden waren. Ze duwden ons hardhandig in de laadruimte van de wagen en nog voor we een vraag hadden kunnen stellen, smeten ze de deur achter ons dicht.

Achterin zeiden we niets. Het was pikkedonker en niemand wist waar we heen werden gebracht. Na een hobbelige rit van ongeveer tien minuten kwam het voertuig weer tot stilstand. Er werden wat woorden gewisseld met iemand die buiten stond. Ik hoorde het geluid van poorten die opengingen en daarna reden we nog een klein stukje verder. De soldaten stapten uit en voerden druk overleg in het Russisch. Even later voegde nog iemand zich bij hen. Hij werd ontvangen met een korte groet.

'Dat is de officier,' fluisterde mijn vader, die zijn oor te luister had gelegd.

Er volgde wat dierlijk gegrom over en weer voordat de laadklep werd geopend. De officier, herkenbaar aan de sterren die hij op zijn uniform droeg, staarde naar ons alsof we vee waren dat hij zojuist had aangekocht. Hij riep wat onverstaanbaars naar zijn troepen en gebaarde ons dat we hem naar binnen moesten volgen.

Het was een vervallen kazerne die werd omgeven door hoge muren met prikkeldraad. Op het terrein stonden drie hoge wachttorens die over het gebied uitkeken. We volgden de officier naar binnen, langs de gelige ziekenzalen die waren gevuld met gewonde soldaten.

'Die zijn net terug uit Afghanistan,' fluisterde oom Ruz.

'Sneller!' gebaarde de officier. We liepen de trappen op, die naar een smalle gang leidden met een heleboel kleine deuren aan weerskanten. Het rook er als in een slagerij waar bedorven vlees wordt verkocht. Bij een van die cellen hield de officier zijn pas in. Hij haalde een sleutel uit zijn zak en opende de deur. Aarzelend stapten we de muffe cel in, die donker was en geen ramen had. Hij gooide de deur achter ons dicht. Het geluid van zijn ferme stappen doofde langzaam uit.

Van het land waar we zo veel rijke verhalen over hadden gehoord zagen we niets anders dan de binnenkant van die cel, waar de Russen ons een week lang vasthielden. Om naar de wc te gaan, die aan het einde van de gang lag en uitkeek op een groot, open veld, moest je net zo lang op de deur kloppen tot een van de cipiers het hoorde.

De eerste dag zaten we allemaal op de koude vloer en staarden we elkaar oenig aan. In de cel stond een glazen fruitschaal, waarvan we niet wisten waar die toe diende, want iets te eten kregen we niet. 's Nachts was het te koud om de slaap te vatten en dekens kregen we niet. We probeerden de tijd te doden door een spelletje te spelen met een doosje lucifers. We gooiden een voor een het doosje in de lucht en wachtten gespannen af op welke zijde het zou landen. Als het doosje op de lange kant terechtkwam, leverde dat vijf punten op; de korte kant was tien punten waard. Iedereen deed mee. Vooral mijn neef was goed in het spel. Hij gaf vanaf het prille begin al leiding aan het klassement.

De derde dag mochten mijn vader en oom Ruz met de officier mee voor een verhoor. Na een uur kwamen ze met hernieuwde moed en een pan pasta onder de arm terug. 'Alles komt in orde,' zeiden ze opgelucht. 'Ons contact in het Kremlin moet op de hoogte worden gebracht. Het zal niet lang meer duren voor we naar Moskou gaan.'

Wat ze niet wisten was dat er wormen in de pasta

zaten, en dat we er een week mee moesten doen. Vijf dagen later was de competitie van het luciferdoosje gooien al in de tienduizenden gelopen, en hadden we nog steeds niets gehoord van ons contact in het Kremlin. 'Waarschijnlijk zit die stakker thuis honger te lijden,' zei mijn vader ontgoocheld.

Toen ik een keer naar de wc ging, zag ik uit het raam een jong stel op het grasveld liggen. Ze waren blond en moesten van dezelfde leeftijd zijn als mijn broer. Ik bekeek hen vanachter de tralies in het wc-raampje. Ze fluisterden elkaar dingen toe en rolden lachend over het gras. Plotseling kreeg het meisje me in de gaten. Ze kwam verheugd overeind en begon te zwaaien. Ook de jongen stond op. Hij haalde iets uit zijn jaszak, deed een paar stappen vooruit en gooide het met veel kracht naar me toe. De afstand was echter te groot, waardoor het langs me heen flitste en weer op het grasveld viel. Hij raapte het op en kwam dichter bij het raam staan.

Nu kon ik zien dat het toffees waren die hij in zijn hand hield. Met een grote zwaai wierp hij een handjevol snoepjes door het kleine raam. Een paar vielen op de wc-vloer. Ik raapte ze van de grond en vulde mijn zakken ermee.

Ze lachten vriendelijk en zwaaiden weer. Ik zwaaide terug en keek hen na terwijl ze van het veld af liepen.

Een week later kregen we bezoek van een andere officier. Hij had nog meer sterren op zijn kostuum dan de man van de eerste dag en sprak een paar woorden Farsi.

'De kameraden in het Kremlin hebben beraad gevoerd en zijn tot een conclusie gekomen. Er is besloten dat u de strijd moet voortzetten in Iran. Daar bent u harder nodig,' zei hij.

'De kameraden hebben makkelijk praten,' mompelde mijn vader. De officier negeerde hem.

Diezelfde dag nog werden we met een jeep afgezet bij een afgelegen plek waar geen hek was. Volgens de officier konden we daar veilig oversteken. Meteen nadat we waren gaan lopen loste hij een schot in de lucht, zodat het leek alsof ze hadden geprobeerd om ons tegen te houden. Aan de andere kant van de grens ontsnapten we ternauwernood aan de Iraanse patrouille, die gewaarschuwd door het schot het gebied doorzocht.

Toen we het dorp uit waren en op een bus richting Teheran zaten, opende oom Ruz zijn rugtas en haalde de fruitschaal uit de cel te voorschijn. 'Ooit zullen we erachter komen waarom die daar stond,' zei hij, en schoot zelf zo hard in de lach dat de tranen over zijn wangen rolden.

Terug in Iran verbleven we een tijdlang in het huis van oma. Dat was een ouderwets huisje zonder meubels en met een wc in de tuin. Oma zat de hele dag naast een grote ketel kokend water, zodat ze zichzelf thee kon inschenken zonder van haar plaats te komen. Mijn vader was ondergedoken bij vrienden. Ik had hem al weken niet gezien.

Ik wist dat we binnenkort weer zouden vluchten, maar niemand vertelde me wanneer en waarheen. Ze waren bang dat ik mijn mond voorbij zou praten. Zelfs familieleden waren niet meer te vertrouwen.

Alleen mijn zus, Nini, vertelde me zo nu en dan wat er gaande was. Wanneer ze met vriendinnen naar het zwembad ging mocht ik mee. Een keer rende ik in mijn zwembroek naar buiten en sprong zonder te kijken in het buitenbad. Dat bleek leeg te zijn. Ik viel plat op mijn rug op de bodem. De klap was zo overweldigend en de pijn trok zo door mijn lichaam, dat ik me niet durfde te bewegen. Minutenlang bleef ik verstijfd liggen en staarde ik met grote ogen naar de helderblauwe lucht.

'Au, m'n rug!' kreunde ik na een poos.

Vanuit het binnenbad klonk het geklets van blote voeten op natte tegels. De glazen schuifdeur naar het buitengedeelte stond open, maar door de diepte waarop ik lag kon niemand me horen.

Plotseling verscheen er een dik, nukkig meisje aan de rand van het bad. Ze droeg een zwart zwempak en stond met haar handen in haar zij naar me te kijken.

'Jij mag hier niet zijn,' zei ze. 'Dit is het meisjeszwembad.'

'Ik ben gevallen,' zei ik zwakjes. 'Kun je me helpen?'

'Dit is het meisjeszwembad,' herhaalde ze. Ze ging op de rand zitten en liet haar benen heen en weer bungelen in de hete zon.

'Mijn zus is binnen,' probeerde ik wanhopig. 'Als je haar roept kan ze een ambulance bellen.'

'Je kunt praten wat je wilt, maar ik hoor je toch niet, want je mag hier niet zijn.' Ze zag eruit als een rotte pistache: een uitgewrongen gezicht dat alleen maar valsheid uitstraalde.

'Au, m'n rug!' kreunde ik weer.

Een halfuur later kroop ik voorzichtig, op handen en voeten, naar de ladder en sleepte mezelf op eigen kracht uit het bad. Ik had niets gebroken. Nog voor ik in het binnengedeelte was kon ik mijn rug strekken en rechtop lopen.

'Papa is onze reis naar Turkije aan het regelen,' vertelde Nini me die middag nadat we uit de bus waren gestapt. Het was zomer en de hitte steeg op van het asfalt.

'We gaan met de bus naar Turkije, en vandaar met het vliegtuig naar Canada. Daar spreken ze Engels. Wij moeten ook Engels leren. Ik kan het al een beetje, luister maar: *Hello, how are you? I'm fine. Thank you. And you?*'

'Gaan tante en oom Ruz ook mee?' vroeg ik. Ik vond dat we net als de vorige keer met z'n allen moesten gaan.

'Nee,' antwoordde Nini. 'Alleen papa, jij en ik. Kian is dienstplichtig. Daarom moet hij op een ezel komen.' We moesten lachen om het idee dat onze broer op een ezel naar Turkije zou komen, terwijl wij met de bus gingen. We konden het allebei niet goed vinden met hem. Dat was omdat mam Kian behandelde als een levende martelaar. Als hij in zijn vieze kleren de kamer in liep, begon ze zich al op de borst te slaan en te huilen van blijdschap.

'En mama dan?' vroeg ik. 'Waarom komt zij niet mee?'

'Mam moet eerst het huis verkopen, zodat ze de smokkelaar kan betalen.'

Op een avond zaten Nini en ik thee te drinken op het tapijt toen we een stoet joelende mannen door de straat zagen lopen. Ze waren allemaal gekleed in het zwart en hadden kettingen in de hand waarmee ze zichzelf op de rug sloegen, terwijl ze de naam 'Hussein' scandeerden. Misschien was Hussein verdwenen, dacht ik, en was er daarom een zoektocht op touw gezet.

Nini en ik kwamen vlug overeind en renden de straat op. Het was avond en de donkere gedaantes met baarden die de stoet vormden waren nauwelijks zichtbaar. Alleen hun krachtige stemmen en het ritmische geknal van de kettingen op de blote ruggen deden de grond onder onze voeten trillen. Er was een man met een hele mand vol van die kettingen. Hij hield de zware mand met twee handen voor zijn buik en keek ongeïnteresseerd over de menigte uit.

'Mogen wij ook meedoen?' vroeg Nini hem.

De man reikte haar zonder opkijken de kettingen aan. We sloten ons aan in de rij en begonnen lachend de ketting tegen onze schouders te slaan, terwijl we steeds een andere naam scandeerden: 'Ahmed! Abdi! Fatima!'

Een man naast me gaf me een klap tegen mijn achterhoofd.

'Lach niet!' zei hij boos. 'We herdenken de tragische dood van imam Hussein! Er valt niets te lachen. En waarom draag je geen zwarte kleren?'

'Blijf met je takken van mijn broertje af!' riep Nini. 'Anders landt de volgende op je voorhoofd.' Ze hield de ketting als een wapen in haar hand.

'Een vrouw bij de kastijding? Dat is heiligschennis!' De man zwaaide zijn arm naar achteren om haar een klap te geven.

We maakten ons uit de voeten en renden langs de menigte terug naar het huis van oma, waar mijn vader inmiddels was gearriveerd. Toen we hem over onze avonturen vertelden, antwoordde hij dat we de klap hadden moeten incasseren, zodat we de hardhandigheid van de islam nooit meer zouden vergeten.

Twee weken later was het tijd om te gaan. We namen afscheid van mijn moeder, broer, tante en oma, en vertrokken met een toeristenbus richting Istanbul. Het was een reis van ongeveer veertig uur. We hadden een tas vol met rijstgerechten die mijn moeder had meegegeven voor onderweg. Maar door alle drukte bij het busstation raakten we de tas kwijt. Bij het eerste tankstation waar we stopten kocht mijn vader een heleboel koekjes, waar ik mijn honger gedurende de reis mee stilde.

’s Nachts stopte de bus bij een geïmproviseerde grenspost, die meer weg had van een tentenkamp. Iedereen moest uitstappen voor de paspoortcontrole. Mijn vader hield mij en Nini stevig aan zijn zijde.

‘Ze zullen me misschien een paar vragen stellen,’ zei hij ongerust, ‘maar jullie hoeven niet bang te zijn. In dit land worden problemen opgelost met een pakje sigaretten.’ Hij klopte op het pakje Marlboro’s dat hij in zijn borstzak bewaarde. Toen hurkte hij en pakte me stevig bij mijn schouders. ‘Als ze me toch willen meenemen, moet je heel hard gaan huilen, zo luid dat hun trommelvliezen het begeven. Kun je dat?’ Natuurlijk kon ik dat.

Ik was moe van de lange busreis, en werd omgeven door luidruchtige vreemdelingen die elkaar als hongerige dieren aankeken. Ik zou op elk moment in janken kunnen uitbarsten.

Ik had een kleine rugtas met daarin een schrift en twee hemden. Ik was zo gewend om van het ene op het andere moment alles achter te laten, dat ik niet veel waarde hechtte aan spullen of speelgoed. Nini had een koffertje mee waar haar kussen in zat. Dat had ze altijd bij zich. Zodra ze haar hoofd daarop liet rusten, werd ze volmaakt gelukkig en kon ze dagen achtereen slapen. Mijn vader had besloten zijn collectie inktpennen mee te nemen als aandenken. Die stond gewoonlijk als een pronkstuk in zijn boekenkast. Het was een van de weinige dingen in huis die ik nooit durfde aan te raken. Kian had een keer zijn huiswerk gemaakt met een van die pennen en kreeg als straf zo'n harde oorvijg dat hij twee weken lang alleen maar een harde piep hoorde.

De Turkse bewaker doorzocht onze spullen en haalde het doosje inktpennen uit de koffer van mijn vader. Hij nam de glazen deksel eraf, stalde de pennen uit op een tafeltje en bekeek ze langdurig, alsof het een raadsel was dat zichzelf wel zou oplossen wanneer je er lang genoeg naar keek. De lange rij mensen achter ons begon te morren.

'Die pennen kunnen niet mee,' zei de bewaker in het Turks, terwijl hij de pennen terugdeed in het doosje en in een la onder zijn bureau stopte. Mijn vader streek aarzelend over de borstzak waar hij de sigaretten in bewaarde. Maar hij bedacht zich en knikte gelaten. We liepen de grens over en stapten aan de andere kant weer in de bus.

Het was snikheet toen we aankwamen in Istanbul. De minaretten staken als raketten in de strakblauwe lucht. Veel tijd om naar de hemel te staren had ik niet. Als ik niet oplette, zou ik onder de voet worden gelopen door de drommen mensen die uit de bussen stapten. Sommigen werden opgewacht door familieleden die op hen af stormden; anderen wilden zo snel mogelijk ontkomen aan de politiemensen met honden die in groten getale bij de passagiersterminal aanwezig waren.

Ik was misselijk van alle koekjes die ik onderweg had gegeten en we hadden al in tijden geen fatsoenlijke wc gezien. Ik durfde me geen seconde los te maken van mijn vaders zijde, bang dat ik hem en mijn zus anders nooit terug zou vinden.

We slenterden het oostelijke deel van de stad door op zoek naar een goedkoop hotel waar we één of twee nachten konden blijven tot we een appartement hadden gevonden. Mijn vader hield een voorbijganger staande en vroeg hem naar de weg. Nini zette haar koffer op de grond en ging erop zitten. Ze was verveeld en geïrriteerd. Op dat soort momenten kon ze in één keer in krijsen uitbarsten en dan wilde je niet bij haar in de buurt zijn.

Ik liep een stukje verder tot de hoek van de straat, waar een winkeltje was dat zojuist zijn luiken had geopend. In de etalage zag ik iets wat mijn aandacht trok. Het was een betoverend bord met vierkante zwarte en rode vakjes. Ik boog me voorover om het beter te kunnen zien. Voor het bord stonden de stukken opgesteld. Ik herkende het sierlijke figuur van het paard, de koning en een frontlinie van kleine mannetjes. De stukken stonden tegenover elkaar opgesteld, in een rust die door de kleinste beweging onherstelbaar zou worden verbroken. Ik begreep dat het een spel was, maar hoe het spel gespeeld moest worden was me een raadsel.

Toen zag ik mijn eigen reflectie in het raam. Ik stond voorovergebogen, met mijn handen in mijn zakken. Ik droeg een korte broek, die tante voor me had gekocht als afscheidscadeau. Mijn grote, half ovale bril hing ruim over mijn wangen. Ik had steil haar dat slap over mijn voorhoofd viel en keek beduusd uit mijn ogen. Een man achter me doofde zijn sigaret met de punt van zijn schoen en liep voorbij. Plotseling zag ik scherp en keek ik in mijn eigen ogen. Het leek alsof mijn vieze brillenglazen en de vlekken op de etalage plotseling als een gordijn werden opgetrokken en me aan mezelf onthulden. Ik herinnerde me dat het mijn verjaardag was. Ik werd die dag vijf.

De winkelier stond midden in zijn zaak en keek naar me. Hij maakte een verwelkomend gebaar, zoals handelaars op de bazaar dat ook altijd deden. Mijn vader en Nini, die zich inmiddels bij me hadden gevoegd, wisselden een blik en liepen samen de winkel in. De winkelier glimlachte tevreden en haalde het bord uit de etalage. Nadat hij het als cadeautje had ingepakt en wilde afrekenen, begon mijn vader de lange onderhandeling over de prijs, waarbij hij de winkel, tot mijn grote ontsteltenis, een paar keer verliet om op de hoek te blijven wachten tot de winkelier hem weer terugriep. Al die tijd stond ik voor de etalage en volgde ik het schouwspel met grote verontrusting. Een halfuur later, nadat de winkelier zich uit pure wanhoop had overgegeven en akkoord ging met de prijs die mijn vader in gedachten had, kocht hij het schaakbord voor me als verjaardagscadeau.

ര

We brachten onze tijd in Istanbul door met lange wandelingen door de oude stad en leefden van de kleinste visjes op de markt. We hadden in totaal tweeduizend dollar bij ons, zo vertelde mijn vader me, maar we hadden geen idee hoe lang we van dat geld moesten rondkomen. Eén keer per maand ging ik samen met mijn vader en Nini naar het kantoor van de Verenigde Naties in Ankara. De treinreis duurde de hele nacht.

Het was een groot gebouw, met veel vlaggen aan de masten, waar altijd een heleboel mensen voor de deur stonden. Sommigen van hen waren er om te demonstreren tegen een of andere dictator, maar de meesten wilden vooral binnen zien te komen.

Mijn vader legde me uit dat alle landen van de hele wereld een afgevaardigde hadden in dat gebouw, en dat die afgevaardigden konden besluiten wie er in hun land mocht wonen.

'Heeft Amerika ook een afgevaardigde?' vroeg ik.

'Ja,' zei hij.

Amerika was het land van de mooiste tanks en raketten. Ik baalde dat ik niet netter voor de dag gekomen was. Nu was ik gekleed in dezelfde korte broek die ik altijd droeg en had ik een T-shirt met een gescheurde boord aan.

'Spreken ze in Amerika Engels?'

'Ja,' antwoordde hij nors.

Mooi. Ik had een Engels boekje thuis en kende al een heleboel dierennamen in die taal. Daar zou ik goede sier mee maken als ik tegenover de afgevaardigde stond.

Af en toe liep er een medewerker schreeuwend het gebouw uit en riep een stuk of twintig namen van mensen die naar binnen mochten. Onze naam zat daar niet tussen. Toch probeerden we ons met de stroom van mensen mee naar binnen te werken. We werden haast onder de voet gelopen door een horde slimmeriken die ook deden alsof hun naam zojuist was omgeroepen. De medewerker was echter op alles voorbereid en wilde identiteitsbewijzen zien. We liepen teleurgesteld weg uit de rij. Het was al het einde van de dag. We moesten weer een maand wachten tot onze volgende kans.

Negen maanden na onze aankomst in Istanbul kwam er post van de Verenigde Naties. Mam en Kian waren er inmiddels ook. We zaten met z'n allen rondom een klein tafeltje met een dekentje over onze voeten toen mijn vader binnenkwam. Hij had een groen papiertje in zijn hand waar hij met stijgende verbazing naar keek. Heel lang zei hij niets, alsof het bericht eerst ontcijferd moest worden.

'We gaan naar Nederland!' riep hij toen vol ongeloof. 'We gaan naar Nederland!'

De hele nacht hield ik het papiertje in mijn hand en sprong ik op en neer op het bed. Ik had geen idee waar Nederland lag, of hoe de mensen daar eruitzagen. Ik wist alleen dat we daar mochten wonen, en dat was genoeg reden om intens gelukkig te zijn.

Onze duplexwoning in Amersfoort lag in een buurt die vooral werd bevolkt door Turkse gezinnen. Ik had in Istanbul Turks geleerd en kon goed opschieten met mijn nieuwe klasgenoten.

De eerste echte Nederlander die ik leerde kennen was juffrouw Bep, de directrice van de basisschool waar ik sinds kort naartoe ging. Juffrouw Bep was gedreven en uitermate betrokken bij haar leerlingen. Eén keer kwam ze bij ons op visite. Mijn vader stelde zich netjes aan haar voor.

'Ik heet Beruz,' zei hij terwijl hij haar de hand schudde. 'En dit is mijn wijf.' Hij sloeg zijn arm om mam heen en glimlachte breed. Juffrouw Bep werd rood van schaamte en keek hem met grote ogen aan.

'Dat kun je niet zeggen,' zei ze.

'*Why not?*' hield hij vol. '*She is my wife.*'

Juffrouw Bep schoot in de lach en legde hem het verschil uit tussen 'wife' en 'wijf'. We lachten beleefd mee, al hadden we geen idee waar ze zich druk om maakte.

Tijdens het avondeten keek ze me langdurig aan terwijl ik at en sprak ze haar verwondering uit over de snelheid waarmee ik mijn rijst naar binnen werkte.

'Dat is niet gezond,' zei ze. 'Je moet het eten kauwen.' Ze nam een klein beetje rijst op haar vork, stopte het in haar mond en deed voor hoe het wel moest. Mam kneep onder de tafel gemeen in mijn been en maande me voortaan rustiger te eten als we visite hadden.

Na het avondeten maakte de juffrouw een lijst van tv-programma's die we moesten kijken om de taal te leren. *De Grote Meneer Kaktus Show* en *Bart B.O.O.S.* waren de twee belangrijkste. Ze zei ook afkeurend dat veel Turkse ouders hun kinderen tot tien uur 's avonds buiten lieten spelen. Dat was niet gezond, vond juffrouw Bep. Kinderen van die leeftijd moesten om acht uur naar bed, vond ze.

Toen we een dag later voor het eerst naar *De Grote Meneer Kaktus Show* keken, kwam mijn vader tot de conclusie dat juffrouw Bep niet goed bij haar hoofd was.

'Een clown die in een boksring loopt en een andere malloot die hem klappen geeft tegen zijn blote kont! Hoe kan dat nou goed zijn voor een kind?' Hij zapte terug naar *WrestleMania*, waar ik tot middernacht naar mocht blijven kijken.

De eerste jaren gingen we regelmatig met het hele gezin op bezoek bij een ander gezin, dat een paar straten verderop woonde. Bijna iedereen van de groep vluchtelingen die gelijktijdig met ons naar Nederland was gekomen, had een woning toebedeeld gekregen in Amersfoort en omstreken. Aanvankelijk bezochten we deze kennissen op de fiets. Mijn vader kon al heel goed fietsen. Als kind ging hij regelmatig op de fiets op bezoek bij zijn tante die vier dorpen verderop woonde, om daar fruit van de bomen te eten. In zijn studententijd had hij medailles gewonnen tijdens de jaarlijkse fietskampioenschappen. Maar hij was er de man niet naar om dat soort souvenirs te bewaren. Hij haalde geen genoegdoening uit sentiment en herinneringen. Liever richtte hij zich op de rooskleurige toekomst die hem in Nederland wachtte.

Wanneer we op de fiets zaten hamerde hij er altijd op dat we met onze tenen moesten trappen, lichtvoetig en vlug. Als je dat niet deed, omdat je moe was of omdat je in gedachten verzonken was, dan schold hij je de huid vol. Nini en ik kenden de gedragspatronen en het spaarzame geduld. Daarom deden we altijd braaf wat hij zei. Alleen Kian bleef onveranderd met zijn hakken trappen. Je wist nooit of hij de opmerkingen van mijn vader niet hoorde, of dat hij er uit halsstarrigheid niet naar wilde luisteren. Wat het ook was, het werd hem niet in dank afgenomen.

'Je bent een ezel!' riep vader woest. 'Hoe vaak moet ik het nog uitleggen? Alleen ezels trappen met hun hakken!'

Kian ging even op de trappers staan, maar zakte na

een paar wentelingen van de wielen weer achteruit op zijn zadel en liet zijn voeten naar voren glijden tot de punt van zijn schoen bijna de grond raakte. Verbaal verweerde hij zich nooit. Zijn verzet bestond erin dat hij niet deed wat hem werd opgedragen. Als mijn vader, die hem ook tekenles gaf, hem vroeg een paard te tekenen, dan kwam hij even later terug met een schitterende tekening van de grote dierenmigratie in Tanzania. En als mijn vader hem vroeg een zacht eitje te koken, dan kreeg hij van Kian een op smaak gebracht spiegelei voorgeschoteld, dat mijn vader dan morrend en klagend naar binnen werkte. Zo was er altijd wat tussen die twee.

De grootste fietsincidenten werden veroorzaakt door mijn moeder. Ze kon wel fietsen, maar zodra er tegenliggend verkeer kwam gooide ze de fiets van zich af en dook ze tegen de grond alsof er vlak naast haar een mijn was ontploft. Haar benen waren altijd beurs. Ook als ze bij mijn vader achterop zat raakte ze in paniek wanneer een onschuldige fietser hen wilde passeren.

'Beruz! Pas op! Er komt een fietser aan. Beruz! Heb je die fietser gezien? Hij komt op ons af! Pas op!' Ze slingerde net zo lang heen en weer op de fiets tot ze er beiden vanaf vielen. Een afstand die ik in mijn eentje binnen tien minuten kon afleggen duurde met het hele gezin soms wel anderhalf uur. Voor we op onze bestemming waren was de avond al verziekt. We stapten allemaal chagrijnig het huis in waar de gastheren ons een inmiddels koud geworden maaltijd opdienden. Vaak bleven we maar logeren, om de lange lijdensweg naar huis zo lang mogelijk uit te stellen.

Onze eerste auto in Nederland was een Renault 5 die niet wilde starten, tenzij je met een hamer op de startmotor sloeg.

Het hele gezin zat al in de auto toen Kian, natgeregend en koud, op de motor begon te slaan. Hij wist niet waar hij precies op moest mikken. Als mijn vader het voordeed, leek het of hij het snapte, maar zodra hij het zelf moest doen was hij verloren. Het duurde een eeuwigheid voor het staaltje Franse vakmanschap eindelijk begon te brommen, tot grote ergernis van mijn vader. Hij leek simpelweg niet te kunnen bevatten dat de jongen die alles onder de motorkap aan gort sloeg zijn bloedeigen zoon was. Eerst stak hij zijn hoofd uit het raam en riep hem allerlei verwensingen toe. Wanneer dat niet tot het gewenste resultaat leidde stapte hij uit, gaf hem een klap tegen zijn nek, schopte hem tegen zijn schenen en schold hem nog eens uit.

Mam daarentegen wilde Kian altijd beschermen. Zelfs wanneer hij niet aangevallen werd. Ze probeerde met veel geweld de bijrijdersstoel naar voren te klappen om uit te stappen. Maar die stoel was al sinds tijden kapot. Evenals het dak, dat lekte. Een dikke klodder regen drupte in mijn nek.

Net op dat moment startte de motor eindelijk.

Kian sloot de motorkap en keek trots door de voorruit de auto in. Niemand schonk hem aandacht. Met gebogen hoofd en zeiknat van de regen kwam hij voorin zitten en sloot de deur achter zich. Mijn vader zette de auto in z'n achteruit. Maar toen begon het te donderen, en mam vond dat we niet konden vertrekken als er donder was. Ze was zo bijgelovig als de pest. We bleven net zo lang op de parkeerplaats staan tot het eindelijk ophield met donderen. Dat duurde een halfuur. Iedereen was nors. Nadat de lucht was opgeklaard, stapten we uit en liepen we terug naar boven, waar mijn vader het bezoek telefonisch afzegde.

'Is dat meneer Sadek?' vroeg mam. Ze wees naar een zwerver in de portiek van een flat. Hij lag plat op zijn rug en had een dun dekentje over zich heen getrokken. We hadden kennissen bezocht en stonden op het punt in de auto te stappen om naar huis te gaan. Kian en Nini waren niet mee die avond.

'Is hij eindelijk doorgedraaid?' vroeg mijn vader binnensmonds.

'Maak hem niet belachelijk!' zei mam. 'Hij heeft in de gevangenis gezeten in de tijd van de sjah.'

Meneer Sadek was in hetzelfde vliegtuig als wij naar Nederland gekomen. Hij had een eigen religie opgericht en maakte er een politieke activiteit van om te protesteren tegen de koningin. Elke dag stond hij in zijn eentje voor het stadhuis in Amersfoort en riep hij leuzen als: *Down with the queen!* Hij werd keer op keer afgevoerd en in een cel gegooid. Toen hij een paar uur later weer op vrije voeten was, beschuldigde hij de

Staat ervan zijn wc volgegooid te hebben met cement. Daarom weigerde hij in zijn huis te slapen en sliep hij buiten, voor de deur van zijn huis, als protest tegen de koningin. Zo troffen wij hem die koude avond aan.

'We kunnen hem toch niet laten doodvriezen?' zei mam.

'Die man is kierewiet,' antwoordde mijn vader. 'En waar wil je hem laten slapen? Bij ons in de slaapkamer?'

We waren verhuisd naar een drieslaapkamerappartement in een iets betere buurt. Op advies van juffrouw Bep ging ik naar een basisschool in een nieuwbouwwijk waar ik de enige buitenlander was. Ze dacht dat ik me beter zou ontwikkelen op een school waar Nederlands de gangbare taal was. Ik was inmiddels negen jaar en zat in groep 6.

'We maken wel een plekje voor hem,' zei mam. 'Ga nou kijken hoe het met hem is.'

Hoofdschuddend liep mijn vader naar de zwerver toe.

Er brandde een lampje in de portiek, boven het hoofd van meneer Sadek. Hij droeg een rood mutsje op zijn hoofd. Vader boog zich over hem heen en schudde hem voorzichtig wakker. Meneer Sadek kwam overeind en keek hem langdurig aan. Het duurde een tijdje voor hij mijn vader herkende. Die groette hem hartelijk en nodigde hem uit om met ons mee te komen en de nacht bij ons door te brengen. Meneer Sadek weigerde resoluut. Pas na langdurig aandringen van mijn vaders kant, en gemopper en geklaag van de zijne, stond hij op en vouwde hij zijn dekentje op.

Bij de auto deed hij zijn muts af en schudde mijn moeder hoffelijk de hand. Boven op zijn hoofd was hij kaal. Alleen aan de zijkanten van zijn hoofd had hij dunne slierten zwart haar. Ik vond zijn geur onverdraaglijk toen hij naast me op de achterbank kwam zitten. Hij zat helemaal middenin, met zijn dekentje om hem heen gewikkeld, en had zijn hoofd ver naar voren gebogen om zich verstaanbaar te maken. De kachel stond op de hoogste stand en blies warme lucht tegen de beslagen ramen.

'In de gevangenis hebben ze mijn sigaretten afgepakt,' zei hij toen we de over de ringweg reden. 'Heb jij een peuk voor me, Beruz?' Mijn vader rookte niet. Mam haalde haar pakje uit haar tas en reikte hem een sigaret aan.

Hij frommelde een aansteker uit zijn zak en stak de sigaret tussen zijn lippen. De ramen achterin konden niet open. Ik leunde zo veel mogelijk tegen de zijkant aan.

'Ik zal jullie niet lang tot last zijn,' zei meneer Sadek. 'Ik kom alleen omdat Beruz zo aandrong. Dat is heel vriendelijk van hem. Maar ik hoop niet dat het uit medelijden is. Dat is nergens voor nodig. Ik heb een zoon in Amerika. Zodra ik de kans krijg, ga ik naar hem toe.' Hij nam een stevige trek van zijn sigaret en leunde achterover.

'Ik heb alleen geen reisdocumenten meer,' zei hij sip.

'Hebben ze die ook afgepakt?' vroeg mijn vader spottend terwijl hij zijn raam opende.

'Nee, meneer!' antwoordde meneer Sadek, en hij gleed weer naar de punt van zijn stoel. 'Die heb ik zelf in de fik gestoken.' Hij leunde nog verder naar voren en bracht zijn hoofd tussen die van mijn ouders in, alsof hij hun een staatsgeheim wilde verklappen.

'Heb je gezien wat er op die reisdocumenten staat?' vroeg hij indringend. 'Koninkrijk der Nederlanden! Ik zei tegen de ambtenaar dat ze er Republiek der Nederlanden van moest maken, zoals een echte patriot betaamt. Ze zei dat dat niet mocht. "Van wie niet?" vroeg ik. "Van de wet!" antwoordde ze. Burgerlijke ongehoorzaamheid kennen ze hier niet. Ze denken dat alles perfect is zoals het is. Ze zei dat ik me niet zo moest aanstellen en trots moest zijn op mijn nieuwe papieren. Toen sloegen bij mij de stoppen door. "Ik zal je eens trots laten zien!" zei ik. Ik haalde een aansteker uit mijn zak en stak het document in de fik, midden in het stadhuis. Nooit geweten dat die dingen zo licht ontvlambaar zijn. Binnen de kortste keren stond het gemeentehuis op zijn kop. Iedereen begon te roepen en te rennen alsof ik een bom in mijn hand hield. Dat stuk ongeluk achter de balie belde meteen de politie. Nog geen minuut later werd ik afgevoerd door vier spierbundels die geen woord Engels spraken. Ze pakten mijn peuken af en gooiden me in een cel. "Democratie", zeggen ze dan. Democratie m'n reet! Als je hardop zegt dat de koningin een heks is, gooien ze je in de bak.'

Mijn vader parkeerde de auto voor onze flat. Voordat we uitstapten keerde mam zich naar meneer Sadek.

'Wij nodigen je graag uit om bij ons te blijven zolang dat nodig is,' zei ze. 'Maar in ons huis wordt er niet over politiek gesproken. We hebben er genoeg onder geleden. Nu zijn we in een land waar onze levens niet meer in gevaar zijn. Dat is genoeg. Als je deze voorwaarde kunt accepteren nodigen we je graag uit naar boven.' Een paar tellen was het stil.

Meneer Sadek gromde wat en keek voor zich uit. Zijn ronde hoofd was in elkaar gezakt, alsof hij zijn tanden had verspeeld bij een slecht handje poker. Maar zijn ogen waren scherp en helder als die van een adelaar. Hij gromde weer.

'Het spijt me als ik oud zeer naar boven heb gehaald. Ik zal de politiek buiten beschouwing laten zolang ik bij u verblijf.' Mijn moeder keek voldaan. Ze genoot ervan om mensen op te voeden, al waren ze zo gek als een deur en ouder dan zijzelf.

We liepen samen naar boven, waar ze een bed voor hem klaarmaakte op de grond.

Kort na zevenen in de ochtend liep ik in het donker de trappen af naar de woonkamer. Meneer Sadek was al wakker. Hij was aan het bidden op het kleedje voor de balkondeur, met zijn gezicht naar de maan. Ik liep stilletjes naar de keuken, nam melk uit de koelkast en smeerde op het aanrecht een broodje met chocoladepasta. Ik nam een hap van mijn broodje en dronk een grote slok melk uit het pak.

‘*Besmellahe rahmane rahim*,’ zei meneer Sadek. Hij boog zijn hoofd voorover op het tapijt en lispelde onverstaanbare woorden.

Zijn bezwerende gefluister fascineerde me. Ik had mijn opa in Iran ooit horen bidden, maar dat was lang geleden, en ik kon me er weinig van herinneren. Toen we nog aan de Meridiaan woonden bad ik zelf ook weleens. Ik bad dan tot de goden van alle landen waar ik ooit had gewoond. God van Iran, God van Turkije, God van de Sovjet-Unie, enzovoort. Meestal had dat gebed een stuk fruit ten doel dat ik bij thuiskomst hoopte aan te treffen in de fruitschaal. Maar het was nog niet het seizoen van de granaatappels, en na een korte tijd besloot ik mijn hoop niet meer te vestigen op de dagelijkse gebeden, maar aan de winkelier op de hoek te vragen wanneer de granaatappels in de schappen zouden liggen.

Ik kauwde langdurig op mijn brood en gaapte meneer Sadek aan tot hij overeind kwam en zich naar me toe draaide.

‘*Good morning!*’ zei hij met een bromstem. Hij had zich nog niet gewassen. Zijn sterke geur had bezit genomen van de woonkamer.

‘Hoi,’ zei ik, en nam nog een slok melk uit het pak.

Hij stapte de keuken in, pakte het brood en de melk van het aanrecht en zette die op de keukentafel.

‘*Do you speak Farsi?*’ vroeg hij overdreven articulerend. We spraken altijd Farsi thuis.

‘Natuurlijk,’ zei ik.

'Mooi,' zei hij. 'Pak dan twee glazen uit de kast en kom aan tafel. Staldieren eten staand, wij mensen doen dat zittend.' Hij ging zitten op een stoel en wachtte tot ik een bord en een mes voor hem had neergelegd. Ik vond het brutaal dat de man die wij de nacht ervoor van de straat hadden geplukt me nu de les las, maar hij zei het zo terloops dat ik er geen aanstoot aan nam. Ik deed wat hij me vroeg en ging tegenover hem zitten. Hij opende verschillende potjes die op tafel stonden en rook er aandachtig aan.

'Wat zoek je?' vroeg ik.

'Gevonden!' riep hij. Hij hield de pot met sambal euforisch in de lucht. Hij nam een snee brood en smeerde er een dikke laag sambal op. Met een grote grijns en een twinkeling in zijn ogen zette hij er zijn tanden in.

'Het is goed dat je nog Farsi spreekt,' zei hij kauwend. 'Er zijn veel kinderen die hun moedertaal vergeten zodra ze uit het vliegtuig stappen. Imbecielen zijn dat! Je mag nooit vergeten waar je vandaan komt.' Heel even was hij stil.

'Mijn vader zegt dat moslims nog achterlijker zijn dan koeien,' zei ik uit het niets.

'Dat zijn ze ook!' zei meneer Sadek, en sloeg met een platte hand op tafel. 'Maar niet achterlijker dan christenen, joden, boeddhisten en atheïsten.'

'Dan blijft er toch niemand meer over?' vroeg ik.

'Dat is ook zo. Bijna iedereen die je tegenkomt is achterlijk. Ik ben ook achterlijk. Ik bid terwijl ik niet gelovig ben. Ik durf te wedden dat jouw leraren en klasgenootjes en de ouders van je klasgenootjes ook allemaal achterlijk zijn. Jouw ouders zijn zeker achterlijk. Dat had ik in de auto al door. Jijzelf bent het nog niet, maar naar alle waarschijnlijkheid zul je het wel worden. Maak je geen zorgen. Het zal niemand opvallen.'

Een paar tellen keek ik hem verwonderd aan. Toen schoten we allebei in de lach.

'Ik ben al te laat voor school,' zei ik. 'Ben je er nog als ik terugkom?'

'Misschien,' antwoordde hij. 'Zolang ik niemand tot last ben blijf ik hier, daarna zien we weer verder.' Hij bracht zijn broodje op ooghoogte en bekeek het nog eens goed voor hij er een nieuwe hap van nam.

Ik voelde me niet op mijn plek op mijn nieuwe basisschool. Het was frustrerend dat er niemand was met wie ik een babbeltje kon maken. Ik had een zware tongval. Vooral als ik boos werd kwam ik niet meer uit mijn woorden. Klootzak werd *klotzak* en lul werd *loel*.

De eerste weken werd ik 'rooie' genoemd, omdat ik een rode jas had en een rode bril. Met een bijpassend rood hoofd liep ik naar de juffrouw om mijn beklag te doen.

'Juffrouw Brigitte,' riep ik, 'de andere jongens schelden me uit!'

'Wat zeggen ze dan?' vroeg ze geschrokken. Sinds

ze op dieet was kwam ze in de pauze niet meer naar buiten. Ze zat in haar eentje in het klaslokaal met haar benen gestrekt op een kruk, en bladerde in een blad over huis en inrichting.

'Ze zeggen', ik keek om me heen om te zien of niemand meeluisterde, 'ze zeggen "rooie" tegen me.'

Ze schoot in de lach.

'Je bent helemaal niet rood,' zei ze

'Soms zeggen ze ook "rooie kip"!'

'Je bent ook geen kip.'

'Nou en? Als ze dat nog een keer doen, dan...!'

Ze ging alleen maar harder lachen. Precies zoals de jongens op het schoolplein.

'Rooie kip!' herhaalde ze. Ze lag in een deuk.

'Weet je wat je moet doen?' Ze greep me bij mijn schouders en keek me met grote pretogen aan. 'Elke keer als ze dat zeggen moet je een kip nadoen.' Ze stond op, zakte door haar knieën en ging met haar ellebogen op en neer: 'Tok! Tok! Tok tok tok! Tok tok!' Krom van het lachen kwam ze naar me toe en gaf me nog een klap tegen mijn rug. 'Rooie kip!' Ze lachte nog meer.

's Middags haastte ik me naar huis, hopend dat meneer Sadek er nog zou zijn. Zijn ochtendgebed zong de hele dag al door mijn hoofd. Ik wilde weten wat het betekende, en of hij me wilde leren bidden.

Tot mijn grote vreugde opende hij zelf de deur.

'Zo,' zei hij terwijl hij me binnenliet, 'je ziet er verward uit. Je hebt zeker niets geleerd vandaag. Geeft niet. Ik heb ook niets geleerd vandaag. Ik ben nog precies dezelfde persoon als toen jij vanmorgen vertrok. Al dacht ik vanmiddag wel even dat ik haargroei had op deze kale plek hier. Het was een aangenaam tintelend gevoel.' Hij aaide met zijn vingers over de plek op zijn hoofd waar hij dacht haargroei te hebben.

Ik gooide mijn tas in de gang en liep achter hem aan naar de woonkamer.

'Hij heeft vast wel wat geleerd,' zei mam, die het gesprek had gevolgd terwijl ze de tafel dekte. 'Hij zit op een goede school. Op de vorige leerde hij de taal niet, omdat iedereen daar Turks sprak. En hij ging elke dag op de vuist met zijn klasgenoten.'

'Aan Turks heb je meer dan aan Nederlands,' zei meneer Sadek, en ging zitten op de bank. 'Nederlands!' herhaalde hij met een vies gezicht. 'Het is geeneens een echte taal. Geen Engels, geen Frans, geen Duits. Wat heb je er nou aan? Kinderen moeten leren verder te kijken dan hun directe omgeving.'

'Hoe kun je dat nou zeggen?' vroeg mam verbaasd. 'Hij gaat hier straks studeren en werken. Dat kan toch niet als hij de taal niet spreekt?'

'Hmm,' gromde meneer Sadek terwijl hij een pistachenootje opende. 'Het belangrijkste wat je op school kunt leren is dat je niets moet geloven van wat ze je vertellen. Argwaan is een gezonde eigenschap. Als je niet oplet hersenspoelen ze je kind al van jongs af aan met staatspropaganda.'

Mam trok haar wenkbrauwen op. 'Dat valt reuze mee.'

Meneer Sadek keerde zich plots tot mij. 'Wat vind jij?' vroeg hij streng.

Ik haalde mijn schouders op. Van staatspropaganda wist ik niets en Nederlands leren ging vanzelf. 'Ik wil leren bidden,' zei ik. 'Kun je me laten zien hoe dat moet?'

'Absoluut niet!' Hij nam nog een handje nootjes van tafel en wierp ze achteloos in zijn mond.

'Waarom niet?'

'Omdat je nog een kind bent. Je gelooft alles wat je wordt verteld. Je mag pas bidden wanneer je elk woord dat je uitspreekt wantrouwt als de toverspreuk van de vijand, en het toch zonder enige vertwijfeling kunt uitspreken vanwege je liefde voor de Onbekende.'

'En Sinterklaas? Die bestaat zeker ook?' vroeg ik melig.

'Ik ken geen Sinterklaas,' reageerde hij serieus. 'Ik ken alleen Santa Claus, en dat is de grootste klootzak van allemaal. Cadeautjes hier, cadeautjes daar, alsof de menselijke ziel door giften tot inzicht komt. In werkelijkheid zal de innerlijke strijd tussen goed en kwaad je doormidden splijten als het zwaard van Mohammed. Je zult eerst je eigen gebed moeten formuleren voor je de magie van de eeuwenoude spreuken kunt waarderen.'

~

Ik was niet meer de enige buitenlander op school. Er was sinds kort een kleine Marokkaan in groep 2. Hij heette Ali. Zijn geur was zo sterk als die van een volle stadsbus in Casablanca. Als hij op school was liet de juffrouw de deur van het klaslokaal altijd wagenwijd openstaan. Ze stuurde hem om de haverklap naar de gang, om van hem af te zijn. Het arme ventje kreeg geen voet tussen de deur. Hij slenterde van klaslokaal naar klaslokaal en staarde met een glazige blik naar binnen, waar zijn leeftijdsgenoten achter hun tafeltjes zaten en aandachtig de ontwikkelingen op het schoolbord volgden.

Op een dag dook hij in de pauze plotseling op voor mijn neus.

'Kom je mee eieren gooien naar de juffrouw?' sprak hij vanuit zijn huig. Hij had zwart kroeshaar en snottebellen aan zijn neus. 'Ze heeft me gisteren straf gegeven. Nu ga ik haar straf geven. Doe je mee?'

'Nee,' zei ik. Ik maakte aanstalten om over het schoolplein naar mijn klasgenoten te lopen, maar hij ging weer pal voor me staan en belette me de doorgang.

'Weet je wel wie ik ben?' vroeg hij terwijl hij met zijn vuist tegen zijn borst klopte. 'Ik ben Ali, de zoon van Mohammed! Ik hak je hoofd af als je niet doet wat ik je vraag.'

'Laat me met rust.' Ik duwde hem aan de kant zodat

ik erlangs kon. Weer kwam hij vliegensvlug voor me staan.

'Heb je een donatie voor de moskee?' vroeg hij met een opgehouden hand.

'Nee! Ga weg!'

Hij wist van geen ophouden. 'Denk je dat je hier de baas bent?' vroeg hij uitdagend. 'Nou? Moet je maar 's Ali Baba tegen me zeggen, dan zullen we zien wat er gebeurt. Doe dan. Zeg dan Ali Baba tegen me.'

Ik hield mijn pas in en keek hem verveeld aan.

'Ali Baba,' zei ik verveeld, om maar van hem af te komen. Hij sperde zijn ogen open, balde zijn vuisten, ademde zwaar en werd rood van top tot teen. 'Ik ben niet Ali Baba!' krijste hij. 'Noem me geen Ali Baba!' schreeuwde hij. Hij draaide zijn armen als een rad om zijn lijf en begon als een wilde op me in te slaan. Het leek alsof ik zijn terminaal zieke moeder had beledigd. Hij was een kop kleiner dan ik en zat pas in de onderbouw. Toch kostte het me flink wat moeite om hem in bedwang te houden. Ik kon er wel om lachen, het leek alsof hij een onuitstaanbare jeuk had voor een vechtpartij.

Mijn klasgenootjes waren minder gecharmeerd van mijn nieuwe vriend.

'Je mag niet meer met ons spelen als je met hem wilt spelen,' zei Michael, een jongen met een staartje die in een tv-reclame voor cornflakes had gespeeld.

'Je nieuwe vriend is een hufter,' voegde Marije eraan toe. Marije was het populairste meisje van de klas.

Ze haalde altijd tienen en was bang voor bloed. Als ze ook maar één druppeltje zag viel ze flauw. Ze had verkering met Michael en ze hadden samen een playbackband.

'Hij ruikt onguur,' wist Melvin nog te melden. Melvin ging op zondagen met zijn vader golfen. Daar pikte hij woorden op als 'onguur' en 'vermakelijk'. Als we op maandagochtend in de kring zaten om te vertellen over het weekend, had hij altijd wel iets 'gênants' meegemaakt, of tijdens een onschuldig ogend etentje iemand gezien die zich 'obsceen' gedroeg.

Ze zaten met z'n drieën op de rand van de plantenbak en deden alsof Ali er niet was, terwijl hij al die tijd naast me stond.

'Weet je wat het probleem van dit land is?' zei meneer Sadek. Hij stond op een zandheuveltje van een Vinexwijk in aanbouw. Op zaterdagen wandelden we met z'n tweeën de stad uit. Langs nieuwbouwprojecten, tot aan de dorpen aan de andere kant van de snelweg. Hij verbleef al drie maanden bij ons. Gelukkig waren er nog geen tekenen dat hij op korte termijn weg zou gaan. We waren allemaal aan hem gehecht geraakt. Hij hielp mijn moeder met het huishouden, gaf mijn vader een helpende hand waar dat nodig was, en leerde mij netjes tussen de lijnen te schrijven.

Thuis mocht hij niet over politieke onderwerpen praten. Maar als we buiten waren deelde hij graag zijn opvattingen met me. Het was hem niet alleen meer te doen om de koningin. Hij was heel Nederland beu. Dat vond ik prettig, want ook ik had me nog lang niet verzoend met de kleinschaligheid van ons nieuwe leven. Meneer Sadek had eenzelfde soort onrust in zich. Als ik met hem op stap was vergat ik waar ik me bevond. De nieuwbouwwijken die nog uit de grond moesten worden gestampt leken plotseling niet veel anders dan de ruïnes in het oosten van Istanbul, waar katten en honden geen huisdieren waren maar bloeddorstige vijanden.

'Dit volk heeft geen droom!' foeterde meneer Sadek. Hij had zijn armen gespreid en keek profetisch over de velden. 'Ze parkeren hun fiets voor de deur, eten om zes uur aardappelen, lezen 's morgens de krant en ze denken dat ze gelukkig zijn. Het kleine geluk, het kleine leed, dat is de Nederlandse mentaliteit.'

De lage lentezon scheen in mijn ogen, waardoor ik alleen zijn contouren zag. Hij was klein, maar stond fier overeind, zijn rug recht en zijn blik zoals altijd streng.

Ik droeg een geruite trui en een broek waarmee ik had gevoetbald, waardoor de knieën groen waren van het gras. Mijn haar, dat altijd steil over mijn voorhoofd had gehangen, was plotseling gaan krullen, en stak wild de lucht in. Het ging steeds meer lijken op de kapsels van mijn vader en Kian, die beiden gekruld haar hadden. In de verte scheurden auto's over de snelweg.

'Ik word treurig van mensen die niet durven te verdwalen,' zei meneer Sadek terwijl hij om zich heen keek. 'Ze zijn bang zichzelf te verliezen. Kun je dat geloven?' Hij zuchtte diep en ging op kalme toon verder: 'Natuurlijk, we werden hier met open armen ontvangen toen we nergens heen konden gaan. Maar mensen die je vertellen dat je in je handjes mag knijpen omdat je hier mag wonen zijn mensen die je onder de duim proberen te houden. Een goede burger is een kritische burger. Vergeet dat niet!'

Hij daalde het heuveltje af. In de verte liet een man zijn hond uit. Verder was er in het hele gebied niemand te bekennen. In mijn verbeelding liepen we door een woestijn, op zoek naar een beekje waar we water konden drinken. Ik had een tak in mijn hand waarmee ik de bodem op mijnen inspecteerde. Meneer Sadek nam zijn pakje uit zijn zak en stak een sigaret op. Ik keek naar onze schaduwen en zag dat we ongeveer even lang waren. Hij liep met korte stappen en stramme bewegingen van zijn arm. Ik tilde mijn voeten nauwelijks van de grond tijdens het lopen. Het leek meer op schaatsen over asfalt wat ik deed. Mijn schoenen waren binnen de kortste keren versleten, tot ergernis van mijn ouders, die geen geld hadden om telkens nieuwe schoenen voor me te kopen. Mijn vader werkte in vroege diensten in een melkfabriek. Hij was aan het sparen om een busje te kopen, zodat hij zijn eigen handel in tweedehands spullen kon beginnen.

'Het valt me op dat je je vriendjes nooit mee naar huis neemt,' zei meneer Sadek, terwijl hij een stevige trek nam van zijn sigaret. 'Waarom is dat?' Hij keek me nooit aan als hij met me sprak. Zijn blik was altijd strak naar voren gericht.

'Ik weet niet,' antwoordde ik schouderophalend.

'Schaam je je ergens voor?'

'Soms,' zei ik.

'Dat is nergens voor nodig. Je zult nooit een van hen worden. En dat is maar goed ook.'

Tot mijn spijt kon meneer Sadek niet voor altijd bij ons blijven. Na de zomervakantie verhuisde hij naar een huis met een hospita. Ik begreep niet waarom hij weg moest en nam het mijn ouders kwalijk dat ze er niet op aandrongen dat hij langer bleef. Hij had zijn achterdocht verloren en leek in geen enkel opzicht meer op de zwerver die we in huis hadden gehaald. Waarom moest hij weg nu hij weer gezond was?

De dag dat hij zijn koffer had gepakt stond ik met tranen in m'n ogen onder aan de trap.

Hij had zich netjes geschoren, aftershave opgedaan en droeg zoals altijd een trui. Zelfs op de warmste dagen van de zomer had ik hem niet in een T-shirt of korte broek gezien.

'Ga nou niet weg! Er is toch genoeg plek hier. Waarom kun je niet blijven?'

Ik keek vragend naar mijn vader, in de hoop dat hij met me zou instemmen. Hij stond tegen de muur in de gang met zijn autosleutel in de hand en glimlachte nietszeggend. Hij had eindelijk zijn felbegeerde busje gekocht en wilde meneer Sadek met alle plezier bij zijn nieuwe huis afzetten.

Meneer Sadek ging op de trap zitten.

'Ik ben weer op krachten gekomen door jullie. Dat zal ik nooit vergeten. Maar ik kan hier niet voor altijd blijven logeren.'

'Waarom niet? Wat is dat voor onzin? Wie bedenkt al die regels?'

Ik voelde me verraden. Als er één iemand was die zich niets aantrok van alle regels, dan was hij het. Ik mocht hem meer toen hij nog niet verstandig was, toen hij nog kierewiet was, zoals mijn vader het noemde.

Op de parkeerplaats gaf meneer Sadek me een ferme, mannelijke hand en stapte in. Ik gooide de autodeur dicht en dacht dat ik hem nooit meer wilde zien.

∽

Een maand later bezochten we hem in zijn appartement. Het ging niet goed met hem, had ik van mam gehoord. Hij had constant ruzie met zijn hospita. Hij betaalde geen huur, omdat hij het vermoeden had dat ze spioneerde voor de geheime dienst.

We kwamen er voor etenstijd aan. Meneer Sadek zag er verward uit, zoals die nacht dat wij hem op straat aantroffen; ongeschoren en met rood doorlopen ogen.

Hij gaf ons allemaal een kille hand en liep voorop naar binnen. Hij had pannenkoeken voor ons gebakken en we konden meteen aan tafel. De pannenkoeken waren niet lang genoeg gebakken, waardoor er nog een deegsmaak aan zat.

Ook de hospita at met ons mee. Ze was bijna twee meter lang en droeg een knalgroene avondjurk. Ze keek afwachtend om zich heen om te zien wie het gesprek zou beginnen. Maar niemand zei wat. Meneer Sadek leek de ongemakkelijke stilte niet op te merken. Hij deed een enorme hoeveelheid siroop op zijn pannenkoek, vouwde hem in vieren en zette er zijn tanden in.

In de hoek van de kamer was een vogelkooi met een blauwe parkiet erin. Het vogeltje zat de hele avond roerloos op een balkje en gaf geen kik. De hospita, wier lengte zo'n indruk op mijn vader had gemaakt dat hij zijn eetlust op slag verloren had, hield haar vork stevig in haar vuist en keek neer op de kale kruin van meneer Sadek. Ze wilde deze mogelijkheid benutten om het een en ander met hem uit te spreken. Je hoefde geen psycholoog te zijn om dat aan haar onstuimige ogen af te lezen. Maar meneer Sadek was niet van plan haar die kans te geven. Gedurende de hele maaltijd keek hij niet op van zijn bord. Zo nu en dan gromde hij wat, en deed hij nog meer stroop op zijn pannenkoek.

Na het eten ging hij zonder afscheid te nemen naar zijn kamer. We bleven achter met de hospita. Ze had lang, donkerrood haar dat soepel over haar schouders golfde. Ik slurpte stilletjes van mijn thee. De hospita staarde ons aan en schudde bedroefd haar hoofd.

'Het gaat niet zo goed met hem,' zei ze na een poos. Ze zuchtte. 'Toen hij hier kwam was hij vriendelijk en behulpzaam. Een innemende en hoffelijke man, dat is de indruk die ik had. We hebben het hier samen geverfd.' Ze wees naar de muren en het plafond, die paars waren geschilderd.

'De laatste tijd is hij zichzelf niet meer. Hij praat niet tegen me, en als hij dat wel doet is hij heel agressief. Gisteren probeerde ik er iets van te zeggen. Onschuldig, en goedbedoeld. Hij reageerde aangebrand en zei dat hij me niet verstond. Ik antwoordde dat het tijd werd dat hij Nederlands zou leren. Ik bedoelde het niet naar, helemaal niet. Hij woont hier tenslotte al vier jaar. Dan moet je toch al een aardig woordje Nederlands kunnen spreken. Anders red je het hier niet. Dat weten jullie ook.' Ze drukte haar lange, smalle vingers tegen haar voorhoofd en ging op aangeslagen toon verder.

'Hij ging volledig door het lint. Begon te schreeuwen en sloeg de hele keuken aan gort. En de dingen waar hij me voor uitmaakte. Heks. Spion! En verrader! Ik probeerde hem te kalmeren, natuurlijk probeerde ik dat, maar het werd alleen maar erger. Op een gegeven moment...' Ze slikte. 'Op een gegeven moment greep hij een keukenmes uit de la. Hij zwaaide ermee in het rond en dreigde me neer te steken.'

Ze toonde ons hoe meneer Sadek met het mes had gezwaaid. 'Ik ben nog nooit in mijn leven zo bang geweest.' Ze begroef haar gezicht in haar gigantische handen en begon te janken als een jonge reuzin met liefdesverdriet.

Ik stelde me de scène voor: meneer Sadek met het keukenmes in zijn hand, en de bibberende reuzin met haar opgeheven vingertje tegenover hem – ik vroeg me af welk van de twee meer te vrezen had.

'Ik weet gewoon niet wat er omgaat in zijn hoofd. Hij moet weg uit dit huis! Anders zal hij me iets aandoen.' Weer begon ze te snikken.

Mijn vader goot zijn kopje thee in één teug leeg in zijn keelgat. Hij had een hekel aan hysterische vrouwen. Ik ook. Hadden we haar soms moeten waarschuwen voor de bijwerkingen van haar gast?

Mijn moeder was echter behulpzaam als altijd. Ze stelde voor de hospita bij te staan wanneer dat nodig was en zou helpen een nieuwe plek voor meneer Sadek te zoeken. Al leek het haar, voegde ze eraan toe, zeer onwaarschijnlijk dat hij haar iets zou aandoen.

'Jullie moeten erbij zijn wanneer ik hem eruit zet,' zei de hospita tot slot. We stemden ermee in.

Maar zover zou het niet komen. Korte tijd later verdween meneer Sadek net zo plotseling als dat hij in ons leven verschenen was.

Op een ochtend toen de hospita wakker werd, was hij weg. Hij had zelfs zijn koffer niet meegenomen. Niemand wist waar hij heen was gegaan. Misschien eindelijk naar Amerika, om zijn zoon te bezoeken. Of misschien was hij weer zwerver geworden. We hebben nooit meer iets van hem gehoord.

Een tijdlang probeerde mijn vader milieuboer te worden. Er was maar één kringloopwinkel in Amersfoort, en die heette De Milieuboer. De zaak lag op een braakliggend stuk grond achter het station. De eigenaar was stokoud en leed structureel verlies. Hij wilde niets liever dan verlost worden van zijn bedrijf, zodat hij met pensioen kon gaan. Ik had nog nooit een betalende klant in de zaak gezien. Elke keer als ik er met mijn vader naartoe ging zat de man met gebogen schouders achter de kassa en keek hij beduusd de lege winkelruimte in. Toch wist mijn vader zeker dat er flink wat geld omging in die tent.

'Die milieuboer is stinkend rijk!' zei hij 's morgens bij het tandenpoetsen tegen me. 'Waarom zou hij anders met pensioen gaan?' In mijn vaders verbeelding gingen alleen rijke mensen met pensioen. Hij droeg een wit hemd en een Koerdische broek. Zijn zwarte, gekrulde haren had hij strak naar achteren gekamd.

‘Wij worden ook rijk! Let maar op!’ besloot hij overtuigd.

Misschien kunnen we dan eindelijk tandpasta kopen die een beetje schuimt, dacht ik bij mezelf. Maar dat zei ik niet. Tijdens het tandenpoetsen was mijn vader plannen aan het smeden. Dan mocht je hem niet storen met zoiets onbenulligs als tandpasta. Dat zou hij je tot in de eeuwigheid kwalijk nemen. Daarom had hij zo’n spijt dat hij met mijn moeder was getrouwd: zij vond dat soort dingen belangrijk. Ze vond het ook belangrijk dat hij eerst een contract zou afsluiten met de milieuboer voordat hij tweedehands zooi ging inslaan. Maar daar had mijn vader geen oren naar. ‘Je moet nooit naar je moeder luisteren!’ was zijn wijze raad.

Die zomer hielp ik hem de zaak van de grond te krijgen. Ik was twaalf en zou na de zomervakantie naar de eerste klas van de middelbare school gaan.

Om milieuboer te worden moesten we volgens mijn vader eerst een grote hoeveelheid tweedehands spullen kopen. Meestal waren die spullen afkomstig van iemand die dood was. Ik speurde de overlijdensberichten in de krant af en belde de nabestaanden op voor een afspraak om de inboedel op te komen halen. Dat vond ik moeilijk. Het begon al bij ‘gecondoleerd’. Daar struikelde ik altijd over. Als ik het oefende voor de spiegel ging het prima. ‘Gecondoleerd, gecondoleerd, gecondoleerd.’ Maar zodra ik iemand aan de lijn had tegen wie ik het moest zeggen, bleef ik erin stikken. Ik sprak ook heel snel. Ik kon me alleen verstaanbaar maken door de woorden overdreven langzaam uit te spreken. Alleen had ik daar het geduld niet voor.

In plaats van de woorden langzaam uit te spreken zei ik alles twee keer: 'Goedemorgen meneer, gecondodeerd. Gecocoleerd. Ik bel over uw vader. Die is dood. Klopt dat? Klopt dat? Gecomboleerd. Gecomoneerd!'

Vaak had ik er meer moeite mee dan de nabestaanden, die ijzig kalm klonken aan de telefoon.

'Morgen wordt hij begraven. Kom overmorgen maar langs. Dan maken we een prijsje.'

Het leek alsof hij met een tandenstoker tussen zijn tanden had zitten wachten op mijn telefoon, denkend aan zijn prijsje.

De dode man wiens spullen we gingen ophalen heette Henk. Dat vertelde zijn zoon ons. Henk woonde in Leusden. In Leusden wonen mensen die Amersfoort te druk vinden. Daar kunnen ze de hele dag over klagen, over hoe druk Amersfoort is: een stad met twaalf wijken, achttien winkelcentra, en bovendien een groeistad, daar kon men toch niet fatsoenlijk wonen?

'Lars!' zei de zoon, terwijl hij me een stevige handdruk gaf. Hij droeg een donkerblauwe broek die tot aan zijn knieën kwam, een bijpassend T-shirt en sandalen. Hij was kalend en een beetje dik. Lars had zijn vaders huis al ontruimd. Het gras was gemaaid en de ramen waren gelapt. Misschien was hij daarom zo opgewekt.

'Ik heb net koffiegezet, komen jullie een koppie

doen?' vroeg Lars. Hij stapte zelf vast naar binnen.

'Wat moeten we nou met koffie?' sneerde mijn vader.

'Koffie kan geen kwaad,' antwoordde ik, en volgde Lars het huis in. Ik vond dat we hem gezelschap moesten houden. Kennelijk had hij geen familie of vrienden die hem konden bijstaan en wij konden best tien minuten missen.

Het was muisstil in de stoffige huiskamer, die op drie houten stoelen na geheel leeg was. Het rook er muf, alsof Henks kist nog in ons midden stond.

Lars nam een slokje van zijn koffie en tuurde voor zich uit.

Pap roerde langdurig in zijn kopje. Er mocht geen korreltje suiker onopgelost blijven.

'Henk was al oud,' zei Lars zonder ons aan te kijken. 'Maar hij was nog fit.' Nu staarde hij me aan. Ik vond dat ik iets moest doen, of zeggen, maar wat?

'Kon hij nog wel lopen en zo?' vroeg ik.

'Jaaa.' Hij bleef er heel lang en traag bij knikken. Blijkbaar kon Henk nog heel goed lopen.

'Maar hij hield wel van een glaasje,' voegde Lars er somber aan toe.

'Een glaasje van wat?' vroeg ik. Ik zag voor me hoe Henk verveeld door Leusden slenterde en overal een glaasje limonade dronk. Was hij daarom doodgegaan?

'Wat er maar was,' antwoordde Lars, en nipte weer van zijn koffie.

'Ja, maar wat dan?' vroeg ik ongeduldig. Ik wilde echt weten wat Henk dronk.

Hij keek me ongemakkelijk aan, wilde geen antwoord geven op mijn vraag. Waarom was hij er dan over begonnen? Ik liet het maar rusten.

Mijn vader dronk zijn kopje leeg. Hij had zich nog lang niet verzoend met de dood en vond de sfeer ondraaglijk.

In de garage stonden heel veel dozen die netjes op elkaar waren gestapeld, en een aanhangwagen. Maar de aanhangwagen wilde Lars niet verkopen.

'De aanhangwagen is van mij,' zei hij. 'Alles wat in dozen zit mogen jullie meenemen. Dat is allemaal van Henk.'

'Hoeveel voor de aanhangwagen?' vroeg mijn vader.

'De aanhangwagen is van mij,' herhaalde Lars, terwijl hij met zijn duim naar zijn borst wees. 'Die verkoop ik niet.'

Lars was zo'n man die zomaar ineens kon ontploffen wanneer je hem te vaak dezelfde vraag stelde. Op school hadden we er ook zo een. Dypak heette hij. Je hoefde maar drie keer een onzinnige vraag te herhalen of hij begon met tafels te smijten en te roepen dat hij 'de hindoedictator' was, alsof dat hem speciale krachten gaf. Hij wist wel opvallend vaak weg te komen met de ravage die hij aanrichtte, omdat hij de decaan er keer op keer van kon overtuigen dat het een religieuze uiting was geweest.

'Vijftig voor de aanhangwagen,' zei mijn vader weer. Vanaf het moment dat we in de garage stonden had hij zijn ogen er geen moment van afgewend. Hij leek gehypnotiseerd te zijn door dat verdomde ding.

Lars werd rood op zijn bolle wangen. 'Die aanhangwagen is van mij!' herhaalde hij. 'Hij is niet te koop.' Hij stapte de garage uit en ging op het erf staan, in de brandende zon, met zijn handen in zijn zij, en keek als een verongelijkt kind naar de grond.

'Wat sta je hier nou te doen? Jij spreekt de taal, ga hem overhalen,' zei mijn vader.

'Hij wil hem niet verkopen, pa. We kunnen hem toch niet dwingen?' Ik begreep niet hoe hij zich zo ongevoelig kon opstellen. Hij vond zeker dat Lars zich aanstelde, dat hij maar geen advertentie had moeten plaatsen als hij echt zo verdrietig was.

'Ik heb ook niets aan jou,' beet hij me toe. Hij stapte naar buiten en ging naast Lars op het erf staan. Hij legde zijn arm troostend over zijn schouder.

'Zestig. Dat is mijn laatste bod,' zei hij vriendelijk.

Even later reden we met Lars' aanhangwagen over de brug. Mijn vader was dolgelukkig. Hij had zijn raam helemaal opengedraaid en was een liedje aan het neuriën dat hij altijd zong toen we nog in Istanbul woonden: '...mijn tas gepakt, met mezelf alleen, vertrokken uit je stad...'

Op de terugweg stopten we bij het asielzoekerscentrum. Toen oom Ruz net in Nederland was komen wonen, bezocht ik hem daar regelmatig. Ik kon er urenlang zaalvoetballen met uitgeprocedeerde asielzoekers. Het was een groot pand, dat eens als gevangenis had gediend. De vele kleine kamertjes hadden geen ramen en de eerste keren dat ik er kwam leek het me een doolhof. In de eindeloze gangen rook het altijd naar Somalische kruiden.

Nadat oom Ruz een verblijfsvergunning had gekregen en tante zich bij hem had gevoegd, verhuisden ze naar een appartement in Montfoort. Vanaf dat moment mocht ik van mam niet meer naar het centrum. Het lag te ver van ons huis vandaan en ze vond dat er te veel criminelen rondliepen. De dieven die daar fietsen, schoenen en kleding verkochten, riepen alsmaar: 'Het is ons recht. Het is onze olie!'

Nu was ik er met mijn vader om naar werkers te zoeken. Later die week moest er een lading goederen worden opgehaald in Groningen en hij vond dat we extra spierkracht nodig hadden voor het zware sjouwwerk. In het centrum was mankracht goedkoop. De paar tientjes die ze met een dag werk konden verdienen waren genoeg om een nacht de stad in te gaan. Je moest alleen goed zoeken naar iemand die betrouwbaar was en het werk niet schuwde.

Mijn vader ging op zoek naar zo iemand en ik vertrok naar de sportzaal. Ik was er al een tijdje niet geweest en kende de nieuwe mensen niet, maar de gebruiken waren onveranderd. In de sportzaal werd zoals altijd gevoetbald. Teams van vier, bestaande uit kinderen, jongens en mannen. De teams werden verdeeld per land of huidskleur. De zwarten tegen de witten. Of de Afghanen, Iraniërs, Irakezen, Somaliërs, Joegoslaven, enzovoort tegen elkaar.

Ik sloot me aan bij de Afghanen. Ze spraken een dialect dat ik grotendeels kon verstaan en ik vond hen sympathieker dan de Iraniërs, die de hele tijd scholden op elkaar en de tegenstander.

Het ging er zoals altijd hard aan toe. Mannen van veertig schroomden niet om een jochie van tien onder de grond te stoppen, al was de bal mijlenver verwijderd van de plaats delict. Alle frustraties over de erbarmelijke leefomstandigheden en de onzekere toekomst manifesteerden zich bruut op het speelveld. Binnen de kortste keren liep het uit op een ruzie tussen de Iraniërs en de Afghanen. Ik vocht strijdlustig mee aan de zijde van de Afghanen, tot verbijstering van een achtjarige landgenoot.

'Wat ben je aan het doen, brillemans? Je bent toch geen Afghaan!'

Ik duwde hem tegen de grond en klemde zijn armen onder mijn knieën.

'Ben ik geen Afghaan?' riep ik in zijn gezicht. 'Nou? Zeg dan. Ben ik geen Afghaan?' In een mum van tijd had ik het dialect overgenomen. Ik streed voor volk en vaderland, al was het niet mijn eigen volk. Net op dat moment liep mijn vader de sporthal in.

'Laat hem los!' riep hij boos.

Ik klauterde overeind.

'De volgende keer sla ik die dikke bril van je kop,' zei het jongetje jankend. Ik wilde hem weer naar de keel vliegen, maar mijn vader voorkwam dat. Hij pakte me bij mijn kraag en sleurde me de trappen af.

Tante en oom Ruz waren die middag bij ons op visite. De deur naar het balkon en die naar de galerij stonden allebei open, zodat er een koele bries door het huis waaide. Op het zonnige grasveld achter onze flat waren de jongens een balletje aan het trappen. Ik was moe en bleef die middag liever thuis. We hadden de dozen van Henk in de schuur opgeslagen, omdat mam ze niet in huis wilde hebben. Ze vond het troep.

'Dit is antiek,' riep mijn vader, zwaaiend met Henks wandklok. 'Laat me dit tenminste aan de muur hangen.'

Maar mam moest er niets van hebben.

Nadat we ook de laatste spullen naar de schuur hadden gebracht gingen we naar boven voor een kopje thee. Ik vermaakte me prima wanneer tante en Oom Ruz bij ons op visite waren. Dan viel het minder op dat ik niets nuttigs deed met mijn tijd, zoals het lezen van een boek, of me voorbereiden op het nieuwe schooljaar. Ik drong er altijd op aan dat ze bleven logeren. Het liefst wilde ik dat we met zijn allen op de grond sliepen, zoals we dat deden in de gevangenis in de Sovjet-Unie, of vroeger bij oma thuis.

Alleen was Nini er nu bijna nooit. Ze had een vakantiebaantje bij de Blokker en ging 's avonds vaak met haar vriendinnen op stap. Ik miste haar. Wanneer zij er was hadden we nooit ruzie in huis. Ze kon de brand al blussen voordat die was opgelaaid. Ze was als geen ander in staat om mijn vader te kalmeren, of zelfs te laten lachen om zijn eigen woede-uitbarstingen.

Nu zat hij op een stoel midden in de woonkamer en keek nors naar de tv. Het boterde al tijden niet meer tussen hem en tante, omdat ze hem altijd een slappe hand gaf wanneer ze hem groette. En omdat ze bijgelovig was, nog erger dan mam. En omdat ze hem altijd vol argwaan aankeek. Al probeerde hij een suikerklontje te pakken van tafel, tante vond het verdacht.

'Wat is handel toch een smerige zaak,' zei ze terwijl ze de tafel dekte. 'De duivel moet het bedacht hebben. Hoe krijg je het over je hart om spullen te kopen die van een dode zijn geweest? En om een kind daarin mee te sleuren!' Ze schudde haar hoofd en zuchtte diep.

Mijn vader deed alsof hij haar niet hoorde. Hij keek naar een race tussen twee opgevoerde bulldozers op Eurosport. Hij zette de tv zo hard dat tante onhoorbaar werd.

'God behoede ons,' ging ze fluisterend verder. 'We kunnen niets anders doen dan bidden om Zijn genade.'

Mijn vaders gezicht liep rood aan van woede. Hij kon in één keer uit zijn slof schieten. Dan werd het zwart voor zijn ogen en wist hij zelf niet meer wat hij deed.

Ik probeerde hem af te leiden door een gesprek aan te knopen over de bulldozers en vroeg hoeveel kracht die dingen hadden. Kon hij iets bedenken waar zo'n machtig opgevoerde bulldozer problemen mee had? Misschien was een walvis wel te glibberig, maar verder kon die toch zeker alles wel hebben?

Hij luisterde niet. Hij had zijn benen ogenschijnlijk kalm over elkaar geslagen en hield de afstandsbediening losjes in zijn hand terwijl zijn andere arm op de stoelleuning rustte. Ik sjokte naar de keuken en hielp oom Ruz met de thee. Hij trok zich nooit wat aan van het gekibbel. Hij was zachtaardig en heel erg geduldig. In het begin, toen hij hier net was komen wonen, gingen we geregeld vissen in de eendenvijver naast de kerk. Hele middagen lang lieten we onze tweedehands aangeschafte hengel met roestige aansluitingen in het stille water rusten en bekeken we ondertussen de eenden, waar oom Ruz ook een heleboel over te vertellen had. De onderliggende hiërarchie, en hoe je de mannetjes en vrouwtjes kon onderscheiden. Maar vooral over de malse smaak van het vlees kon hij urenlang doorpraten. Hij verbaasde zich erover dat ze niet werden gevangen. Hij hield van dingen die je kon vangen en dingen die je kon plukken. In het bos wist hij je precies te melden welke vruchten heel lekker waren en zeker gegeten moesten worden, en welke levensgevaarlijk waren en je binnen enkele seconden zouden doden.

Als we dan eindelijk een klein visje hadden gevangen, sloeg oom Ruz het hoofd van het visje in met een steen en gingen we het thuis bakken.

Vlak voor het middageten kwam Kian thuis. De voordeur stond open. Ik zag hem stilletjes naar binnen glippen, maar herkende hem bijna niet. Hij had zijn hoofd volledig kaalgeschoren, alsof het was afgewerkt met fijn schuurpapier. Hij droeg een spijkerbroek die was gescheurd bij de knieën, en een gouden oorring die glom als een dolk in de zon. Het was duidelijk bedoeld om vader uit de tent te lokken. Hij wilde duidelijk maken dat hij, oudste zoon, hier in Nederland vrij was om te krabben waar hij jeuk had, en dat niemand daar iets over te zeggen had. Maar nu het moment van de confrontatie was aangebroken, stond hij bij de voordeur te treuzelen. Hij keek me vragend aan om te peilen hoe de sfeer was.

Ik zat als versteend op de bankleuning in de woonkamer. Ik bekeek mijn vader, die nog steeds op zijn stoel zat en met gefronste wenkbrauwen van zijn thee slurpte, en toen weer naar Kian in de deuropening, die geen stap dichterbij durfde te zetten.

Ik stond op en liep naar de hal, sloot de deur van de gang achter me, zodat niemand ons kon horen.

'Ben je helemaal doorgedraaid?' vroeg ik boos, en gaf hem een stomp in zijn maag. Hij was twaalf jaar ouder dan ik, maar ik wist dat binnen enkele ogenblikken de donder in zou slaan door zijn onnozelheid en dat nam ik hem kwalijk.

'Au! Wat heb ik nu weer gedaan?' vroeg hij schaapachtig. Zijn ogen waren klein en rood. Hij was knetterstoned.

'Je ziet eruit als een dode soldaat met die kale kop! Waarom heb je dat nou gedaan?'

'Wil je weten hoe het voelt?' Hij boog zijn hoofd zodat ik eraan kon voelen.

'Gadver! Nee! En wat moet je met die oorbel? Je bent toch geen slaaf? Alleen slaven dragen oorbellen.'

'Je moet niet alles geloven wat pa zegt, jochie. Prince heeft toch ook een oorbel.'

'Prince is homo!'

'Hij is helemaal geen homo.'

'Wel waar!' Ik gaf hem nog een stomp in zijn maag.

'Waarom heb je dat nou gedaan? Pa vermoordt je als hij je ziet.'

'Ach, welnee.'

'Tuurlijk wel! Doe tenminste je oorbel uit.'

'Doe ik niet,' zei hij beslist. 'Wie is er nog meer in huis?'

'Tante en oom Ruz zijn er, en mama.'

'Dan komt het goed.'

'Het komt helemaal niet goed. Ga weg! Ga naar Frank! Kom later terug!' Hoe meer ik aandrong, hoe zekerder hij werd van zijn zaak.

'Ik woon hier toch ook, jochie? Wat moet ik bij Frank doen?'

'Wachten tot je weer haar hebt! En noem me verdomme geen jochie, ik ben al bijna dertien.' Hij lachte en tilde me over de drempel.

'Laten we naar binnen gaan, ik heb honger.'

Twee minuten later lag hij languit op het tapijt en klemden de beide duimen van mijn vader zich stevig om zijn hals. Kian vocht niet terug, hij spande alleen zijn nekspieren.

Mam gilde, schold en sloeg met alles wat binnen handbereik lag tegen mijn vaders hoofd. Oom Ruz en ik probeerden ons er met alle macht tussen te wurmen. Maar mijn vader was sterk. Met al zijn woede en al zijn kracht klemde hij zich vast aan de nekspieren van Kian, en hij was niet van plan los te laten voor hij alle lucht eruit had geperst. Zijn jarenlange training als vechter, als instinctieve jager, leek voor dit moment te zijn bestemd. Hij zou zijn eigen zoon, zijn vlees en bloed, in een flat in Amersfoort de luchtpijp dichtknijpen.

Tante rende gillend door het huis. Ze trok een sprint naar het balkon, kotste dat onder en rende gillend weer de woonkamer in.

'Pas op de kast!' hoorde ik mijn moeder plots schreeuwen. Als iemand bij ons thuis dat riep, dan wist je wat er aan de hand was. Ik keek op en zag dat de servieskast die mijn vader ooit eigenhandig in elkaar had gezet, en waarvan de lades niet geopend konden worden zonder dat hij in elkaar zou storten, stond te wankelen op zijn poten en elk moment kon omvallen. Ik vloog overeind en duwde met mijn volle gewicht tegen de servieskast aan om hem tegen te houden.

Het leek allemaal op een operaregistratie die ik op een verveelde zondagmiddag had gezien op tv. Een vrouw gestoken in een weelderig kostuum en gezegend met een glasheldere stem zweefde door de lucht, van de ene naar de andere kant van het podium. Elke keer als ze bijna de grond raakte probeerde ze een kind, dat huilend op de bühne lag, onder haar arm te nemen. Maar keer op keer tastte ze mis, waardoor het kind alsmaar luider ging krijsen. De strijkinstrumenten klonken steeds heftiger, en de klaagzang van de vrouw veranderde in een ademloze, hoge toon die niet meer van de instrumenten te onderscheiden was. Alles leek op te lossen in die eindeloze toon, en terwijl ze als een klokkenwijzer heen en weer zwaaide over het toneel schoven de gordijnen langzaam dicht, waarna het publiek in een daverend applaus losbarstte.

Nu waren er geen gordijnen om het einde van de tragedie aan te kondigen, en er zou zeker geen applaus klinken. Ik duwde de kast weer op zijn plek, dook naar de grond en sloeg met gebalde vuisten tegen mijn vaders ribbenkast: 'Laat hem los! Je vermoordt hem!'

Kians ogen werden troebel en er rolden tranen over zijn wangen. Het kon niet lang meer duren. Hij was al zo goed als dood toen mijn vader ineens naar zijn borst greep en zich kermend van de pijn op de grond wierp.

Kian kroop naar de tafel en hees zich overeind. Zijn gezicht was lijkbleek en hij had twee donkerrode duimafdrukken in zijn nek. Hij nam zijn bril van tafel en zette hem met zijn wijsvinger recht op zijn neus. Hij glimlachte naar me.

Zie je wel dat het meeviel? leek hij te zeggen. Zijn opstand was geslaagd, al had het hem bijna zijn leven gekost. Zwijgzaam liep hij de trappen op naar zijn oude slaapkamer, die ondertussen mijn slaapkamer was geworden.

Mijn vader lag met een van pijn verwrongen gezicht tegen de boekenkast aan en hield twee handen tegen zijn borst gedrukt. Het was een hartaanval, bleek in het ziekenhuis. Een lichte hartaanval.

Twee dagen na het incident ging Kian met Frank en twee andere vrienden op vakantie naar Slowakije. Pa lag nog in het ziekenhuis. Het was pas vijf uur in de ochtend toen Kian me kwam wekken.

'Jochie, ga je me nog uitzwaaien of wat?' fluisterde hij vanuit de deuropening.

Hij ging aan het uiteinde van het bed zitten en bekeek de posters aan de muur. Ik had zijn afbeeldingen van Prince, Mick Jagger en David Bowie eraf gescheurd en vervangen door uitvouwbare posters uit tienerbladen.

Hij schudde me zachtjes heen en weer. 'Broertje! Wakker worden!' zei hij. 'Ik ga zo weg!'

Ik gaf geen krimp, zoals vroeger, als ik speelde dat ik dood was.

'Ik heb een auto gehuurd. Wil je hem niet zien?'

Ik opende mijn ogen en keek hem met een verwijtende blik aan. Hij had een pleister op zijn hals om de duimafdrukken op zijn puntige adamsappel te bedekken. De wallen onder zijn diepe oogkassen leken nog donkerder door zijn bril, die als altijd op de hoge knik van zijn neus rustte.

Normaal zou ik meteen uit bed zijn gesprongen om de auto te zien. Maar die ochtend gaf ik niet toe aan mijn nieuwsgierigheid. Ik was kwaad op hem omdat hij zo nodig zijn hoofd moest kaalscheren en een oorbel indoen. Waarom wilde hij altijd iets bewijzen? Soms wenste ik dat hij gewoon verdween. Dat hij ons allemaal zou verblijden met een onaangekondigd vertrek.

'Ik weet heus wel dat je wakker bent,' hield hij vol. 'Ik wil je alleen de auto laten zien.'

'Laat me nou!' Ik keerde me naar het raam. Hij deed zijn bril af en maakte de glazen schoon met het laken. Dat deed hij om mij te irriteren. Maar ik trok me er niets van aan.

Hij zette zijn bril weer op en bleef stilzitten op de bedrand.

'Soms gaan dingen anders dan je wilt, jochie,' zei hij na een poos. 'Ik weet ook niet waarom pa me altijd moet hebben. Hij denkt dat ik, ik weet niet wat hij denkt. Het boeit me niet meer. In dit huis moeten we voor onszelf zorgen. Op pap en mam kun je niet rekenen.' Hij liet zijn kin op zijn vuist rusten en tuurde naar de grond. 'Wil je de auto echt niet zien?'

Ik had best uit bed kunnen stappen om afscheid van hem te nemen. Hem vertellen dat het niet zijn schuld was. Alleen had ik hem al zo lang genegeerd dat ik niet plotseling sentimenteel wilde doen. Bovendien was ik het zat om altijd partij te moeten kiezen. Ik wilde dat iedereen me met rust liet.

Hij leek het te begrijpen. 'Oké, jochie,' zei hij. 'Ik kom over drie weken terug. Dan ben je al dertien. Vanaf je dertiende ben je geen jochie meer. Wist je dat?'

'Laat me nou,' zei ik, en ik trok de deken over mijn hoofd.

Hij stond op, rekte zich uit en gaapte luidkeels, alsof er geen vuiltje aan de lucht was. Maar ik wist dat ik hem had gekwetst. Hij liep de kamer uit en ging sloom de trappen af.

'Heb je je broertje wakker gemaakt?' hoorde ik mam vragen.

'We hebben al afscheid genomen,' zei Kian.

Die zin maakte me nog treuriger dan ik al was. Ik kwam uit bed en liep naar de slaapkamer van mijn ouders om uit het raam te kijken. Kian stapte achter het stuur. Het was een Ford Escort-stationcar, zwart metallic, met getinte glazen. Hij toeterde, en zwaaide nog eens naar mam, die op de galerij stond. Ze hield een ei in de aanslag en wachtte af tot de auto op gang kwam. Net voordat Kian van de parkeerplaats af was, gooide ze het ei naar beneden, zodat het vlak achter de auto kapotviel en de spetters op het zwarte ijzer zichtbaar werden. Dat was haar manier om hem een voorspoedige reis te wensen.

Mijn vader belt je nooit twee keer vanaf dezelfde plek. Zelfs niet als hij in het ziekenhuis ligt. Eerst belde hij vanaf de receptie op de derde verdieping.

'Je moet me komen ophalen!' zei hij beslist. 'Nu meteen!'

Ik stond in de keuken. Oom Ruz en tante hadden besloten een paar dagen langer te blijven en waren het avondeten aan het voorbereiden. Nini was met vriendinnen naar Amsterdam en zou niet terugkomen dat weekend.

Ik voelde me ongemakkelijk als ik waar iedereen bij was met mijn vader praatte. Ze hadden hem allemaal al lang veroordeeld. Ik keerde me naar de boekenkast en speelde met het snoertje van de telefoon.

'Wat is er dan?' vroeg ik. Ik had hem niet gebeld of bezocht, terwijl hij al een week in het ziekenhuis lag.

'Wat er is?' vroeg hij vol verbazing. Alsof hij eerst de tijd tot stilstand moest brengen om mij op de hoogte te brengen van de stand van zaken.

'Ik lig tussen oma's die de hele tijd winden laten. Ik houd met handen en voeten de gordijnen rond mijn bed dicht, zodat ze niet tegen me praten. Toch praten ze tegen me! De hele dag door! Je tante heeft gelijk, er is een hel! Vertel haar maar dat ik hem heb gevonden! Als ik de verpleegster om een maaltijd vraag, wat denk je dan dat ik krijg? Pap met appelmoes! Vanochtend gooide ik de pap van tafel. Ik liet haar mijn tanden zien. "Geef mij vlees!" zei ik tegen haar. Komt ze even later terug met een kom soep. Het smaakte niet eens naar soep. Het smaakte naar pis! Koude laboratoriumpis!'

Heel even zei hij niets, toen ging hij op een gekrenkte toon verder: 'Maar wat ik nog het ergste vind', hij liet een pauze vallen, 'wat ik onvergefelijk vind', weer liet hij een pauze vallen, 'is dat mijn eigen zoon me niet komt opzoeken terwijl ik hier op sterven lig!'

Ik had de avond ervoor nog gebeld en aan de verpleegster gevraagd hoe het met hem ging. Ze had me vriendelijk geantwoord dat ik me nergens zorgen over hoefde te maken. Het herstel ging prima, hij moest alleen een paar dagen rusten.

'Je mag nog niet weg. Je moet uitrusten. Morgen kom ik je opzoeken.'

'Niks daarvan! Je neemt de sleutel van de haak, pakt de auto van je moeder en haalt mij nu op!'

Toen ik twaalf werd had hij me leren autorijden op de parkeerplaats voor onze flat. 'Voor het geval je mij of je moeder naar het ziekenhuis moet brengen, begrijp je, voor noodgevallen,' had hij gezegd.

Ik had me naar de kast gekeerd, met mijn rug naar de woonkamer, zodat mam me niet kon horen. Ze deed alsof ze druk bezig was de weersvoorspelling te volgen op teletekst, maar ik wist dat ze meeluisterde.

'Dat mag toch nooit!' fluisterde ik in de telefoon.

'Wat heb ik je gezegd?' vroeg hij streng. 'Je moet nooit luisteren naar je moeder. Ik wacht op je bij de ingang van de eerste hulp!'

'Hoe...' Hij had al opgehangen.

Mam kwam meteen overeind. 'Wat wilde hij?'

'Niets bijzonders. Hij vroeg zich af waarom niemand hem had bezocht.'

Ze zette haar armen demonstratief in haar zij. 'Ha! Je zou denken dat hij zich schaamt, maar nee. Nee nee. Ha!' Als ze eenmaal begon kon ze uren doorgaan. Ze liep klagend en tierend de trappen op en kwam even later terug met haar föhn. Dat was een tic. Zodra ze zich opwond begon ze haar haar te föhnen, net zo lang tot het rechtovereind stond.

Hoe kon ik ongemerkt wegrijden? En belangrijker: hoe kon ik het ziekenhuis halen zonder een ongeluk te veroorzaken of opgepakt te worden? Ik zag er misschien al uit als vijftien, maar zeker niet als achttien. En ik had alleen maar op de parkeerplaats voor onze flat gereden, nooit op de grote weg. Hij had het best aan oom Ruz kunnen vragen, die had tenminste een rijbewijs. Maar daar was mijn vader veel te trots voor. In zijn ogen maakten ze allemaal deel uit van een complot tegen hem. Mijn moeder, tante en oom Ruz. Ze hadden Kian tegen hem opgehitst, met alle gevolgen van dien. Zo zag hij het.

Ik liep naar de hal om te zien of de autosleutel aan de haak hing. Daar hing die niet. Ik sloot de deur naar de keuken en zocht in de jaszak van mam. Daar was de sleutel ook niet. Ik opende de voordeur en keek op de parkeerplaats. De auto stond er niet. Toen ging de telefoon weer. Ik haastte me naar de woonkamer en nam op. Ik hoopte dat hij zich had bedacht.

'Pap!' fluisterde ik.

'Sam! Ben jij het?' schreeuwde hij door de telefoon.

'Ja, ik ben het. Waar ben je?'

'Ik sta in een telefooncel, een klein stukje voorbij het ziekenhuis. Waarom ben je nog niet vertrokken?'

'De auto is er niet. Waarom sta je in een telefooncel?'

'De verpleegster hield me in de gaten. Ik had geen tijd om mijn kleren te pakken. Toen ze even niet oplette ben ik 'm gesmeerd. Wie heeft de auto?'

'Weet ik niet.' Ik zag al voor me hoe hij op zijn slippers uit het ziekenhuis was gevlucht. Net als die middag in Teheran, toen de agenten met walkietalkies ons huis waren binnengedrongen en hij via het balkon was gevlucht. Het deed er eigenlijk niet zo gek veel toe wat de omstandigheden waren. Zelfs als hij in de druiventuin van de hemel belandde, zou hij op een goede dag zijn biezen pakken en maken dat hij wegkwam.

'Wie is daar nog meer?' Ik keek om me heen. Mam was naar boven gegaan om haar borstel te halen.

'Tante en oom Ruz,' fluisterde ik. Ze stonden in de keuken groente te snijden.

'Waarom gaan ze niet weg?' vroeg hij geërgerd.

'Weet ik veel!' Tante stond niet ver bij de telefoon vandaan en had haar oren gespitst. Ze kende mijn vader maar al te goed en wist dat hij een plan uitbroedde. Daar vergiste ze zich niet in.

'Ah!' zei hij opgelucht. 'Dan kun je de auto van Ruz pakken!'

'Wat? Nee! Dat kan niet!'

Hij had al opgehangen. Ik legde aarzelend de hoorn neer.

Tante keek om het hoekje. Ze hield een keukenmes in haar hand en bekeek me met grote ogen. Een druppel water viel van de punt van het mes op de keukenvloer.

Oom Ruz was de snijplank aan het afwassen.

'Zullen we naar het bos wandelen?' vroeg hij terwijl hij de kraan dichtdraaide en zijn handen droogde. 'De bramen zijn erg lekker deze tijd van het jaar.'

De blauwe Ford Fiesta van oom Ruz stond op de parkeerplaats. Het was een kleine auto met een 1.3-motor. Vanaf de galerij bekeken leek het ding me handelbaar. De sleutel lag naast zijn portemonnee en schroevendraaier op de schoenenkast in de hal. De keukendeur was dicht en mam was nog boven.

Ik nam de sleutel van het kastje, trok stilletjes mijn gympen aan en liep naar het trappenhuis. Toen ik beneden was stond tante al op de galerij.

'Waar ga je heen?' schreeuwde ze vanaf de tweede verdieping. 'We zouden toch gaan wandelen?' Ik deed alsof ik haar niet hoorde en liep door richting de auto.

'We zouden toch gaan wandelen?' riep ze nog luider. Nu moest ik me omdraaien.

'Ik moet iemand bellen,' zei ik. 'Ben zo weer terug, oké?'

'Er is hier toch ook een telefoon?' Ze was niet van plan om het me gemakkelijk te maken.

'Maar ik mag niet bellen vanuit huis,' zei ik haast smekend. 'Ik ben zo weer terug, oké?'

Ik bleef staan in de hoop dat ze naar binnen zou gaan, maar ze ging niet naar binnen. Ze bleef stug terugkijken. Ook oom Ruz kwam nu de galerij op. Hij ging naast tante staan en sloeg een arm om haar heen.

'Waar ga je heen? Ik dacht dat we bramen gingen plukken?' riep hij.

Ze zagen er mooi uit met z'n tweeën. Oom Ruz met zijn snor en tante met een bord en een theedoek. Ze waren ooit buurjongen en buurmeisje geweest in Teheran.

Plotseling kon het me allemaal geen moer meer schelen. Ik moest de auto pakken en ze zouden er toch achter komen.

'Ik kom zo,' zei ik, en liep over de parkeerplaats. Ik voelde in mijn rug dat tante er nog altijd stond. Ik nam de autosleutel uit mijn broekzak en hield hem stevig in mijn vuist. Heel even sloot ik mijn ogen, alsof ik een gebed wilde zeggen. Toen ik klein was bad ik tot de goden van alle landen waar ik gewoond had. Nu geloofde ik niet meer in landen. Ik geloofde alleen nog maar in heel hard rennen. Ik opende de deur van de auto en sprong erin. Tante begon te schreeuwen. Ze riep oom Ruz, en mam, en de Profeet, en iedereen die ze kon bedenken bij elkaar; alle zeilen moesten worden bijgezet om me tegen te houden.

Ik probeerde te starten. De auto sprong vooruit en de motor sloeg af.

'Sam! Wacht! Dan gaan we samen,' riep oom Ruz druk gebarend terwijl hij over de galerij rende.

'Ik wist het! Ik wist het! Ik wist het!' riep tante alsmaar, en ze sloeg het bord dat ze in haar hand hield kapot tegen de balustrade. De scherven vlogen door de lucht.

Ik reed voorzichtig achteruit, tot ik op de auto knalde die achter me stond geparkeerd. Oom Ruz rende me achterna.

'Laat me tenminste de bumper erop zetten...' riep hij hijgend. Maar ik was hem al voorbij.

Ik reed van de parkeerplaats af en sloeg de hoofdstraat in.

Het was zondag. De bumper van de Ford Fiesta klapperde gestaag over de tweebaansweg. Alle stoplichten knipperden oranje. Met een gemiddelde snelheid van twintig kilometer per uur, en zonder gebruik van de remmen, bereikte ik zonder kleerscheuren het ziekenhuis.

De bejaarden zaten op bankjes rond de taxistandplaats. Ik keek naar hen terwijl ik langzaam langs de parkeerplaats reed. Ze leken zo onbezorgd en kalm dat ik voor heel even graag stokoud had willen zijn.

Stapvoets passeerde ik de telefooncel en keek uit het raam om te zien waar mijn vader zich verscholen hield.

Hij sprong op van achter de struiken en stapte in.

'Niet stoppen!' zei hij terwijl hij zijn gordel omdeed.

'Hebben ze thuis gezien dat je de auto hebt gepakt?' Hij had zich geschoren en zijn haar netjes naar achteren gekamd. Zijn benen waren bloot en hij droeg flinterdunne teenslippers die je in ziekenhuizen vaker kreeg. Zijn pupillen waren groot en hij had een bange blik in zijn ogen, als een kat die te lang alleen is geweest.

'Ja. Ze hebben het allemaal gezien.'

'Je tante heeft vast de politie gebeld,' zei hij. 'Rijd maar niet over de ringweg.'

Ik had gehoopt dat hij het stuur zou overnemen, maar dat deed hij niet. Hij leunde achterover en staarde zwijgend voor zich uit.

In plaats van de kortste weg naar huis te nemen reed ik een zijstraatje in. Er waren veel drempels en aan beide kanten van de smalle straten stonden auto's geparkeerd. Vlak voor het buurthuis reed ik per ongeluk de stoep op, maar ik kon mijn stuur net op tijd terugdraaien, zodat ik niet tegen de straatlantaarn botste.

'Ik weet niet waarom het steeds misgaat,' zei mijn vader.

'Hoezo? Ik remde toch op tijd?' schoot ik uit mijn slof. Ik was voor het eerst in mijn leven gestrest en kon geen enkele kritiek verdragen.

Maar hij was zo in gedachten verzonken dat hij het niet eens had opgemerkt.

'Ik doe alles voor jullie,' vervolgde hij, 'en ik probeer het altijd goed te doen. Toch gaat het steeds fout. Je broer heeft een hekel aan me. Je moeder heeft een hekel aan me. Je tante en je oom hebben een hekel aan me.' Hij staarde langdurig uit het raam. 'Dat huis is een gevangenis voor me. Ik kom er alleen nog voor jou en je zus. Maar wat hebben jullie aan een ongelukkige vader?'

We tuurden allebei voor ons uit.

'Zet de auto aan de kant.'

Ik bracht de auto tot stilstand tegenover de kerk en zette de motor af. De dienst was nog bezig. Er stonden tientallen fietsen in de rekken. Door de kieren van de houten deur heen klonk een koud, kerkelijk gezang.

'Ik heb gisteren mijn broer gesproken in San Francisco,' zei mijn vader zonder me aan te kijken. 'Je hebt hem nooit gezien. Hij was al weg voor jij geboren was. Nu belde hij me plotseling, na twintig jaar, omdat hij had gehoord dat ik in het ziekenhuis lag. Hij zit tegenwoordig in onroerend goed. Daar heeft hij een fortuin mee verdiend.'

Plotseling was hij weer zichzelf. Een moment van zelfreflectie, een cruciale vraagstelling betreffende zijn staat van zijn, leidde bij mijn vader direct tot een initiatief dat hem rijk zou maken.

'Mijn broer vertelde me over een stuk land dat hij heeft gekocht in de buurt van San Jose. Dat land is goud waard. Er zijn plannen voor een overdekt winkelcentrum, met een zwembad, diverse bioscopen en een speelhal. Maar hij is alleen en kan al die projecten niet meer aan. Hij heeft me gevraagd om een deel van de taken op me te nemen.'

Een late kerkganger haastte zich langs de auto en rende naar binnen.

'Nou?' vroeg pap. 'Wat vind je van het plan?'

De situatie leek uitzichtloos. Iedereen ging weg. Ik bleef alleen achter met mam, en het zou nog jaren duren voor ik ook mijn biezen kon pakken.

'Als we er zo zijn, wil ik dat je naar boven gaat en mijn koffer pakt,' zei hij. 'Die ligt boven op de kast in de slaapkamer. Ik zet geen stap meer in dat huis!'

Hij had zijn koffer altijd klaarstaan. Zodra hij ruzie kreeg met mam pakte hij die koffer van de kast en verdween hij een tijdje. Nu wilde hij voorgoed weggaan.

Ik mompelde dat ik het best vond, dat hij moest doen wat hij goedvond. Dat alles vroeg of laat toch wel gebeurd zou zijn, en dat het daarom niet uitmaakte of het nu gebeurde of later.

Hij legde een hand op mijn knie en knikte. 'Ik ben blij dat je het begrijpt.'

We stapten uit en wisselden van plaats.

'Kom je echt niet naar boven?' vroeg ik toen hij de auto had geparkeerd.

'Nee. Ik hoef niemand meer te zien. Je weet waar mijn koffer staat, toch? Die bruine, bedoel ik. Hij ligt boven op de kast.'

'Ja-aa!' Ik had er een hekel aan wanneer hij deed alsof ik achterlijk was. Ik stapte uit de auto en keek naar de galerij. Tante stond al te wachten. Ze zwaaide kort en ging vlug naar binnen. Ik zou een pak slaag krijgen van de twee zusters. Hun slippers leken op dat soort momenten bijzonder soepel van hun voet te glijden. Het zou toch geen pijn doen. Het waren meer de bezweringen en verwensingen waar ik bang voor was. Ze konden urenlang aan de telefoon hangen om met elkaar dromen te analyseren. Als ze vonden dat er een boze geest in je was gevaren, deden ze er alles aan om hem te verjagen, zich niet realiserend dat je als kind een hartverzakking kreeg van al die sissende geluiden en helse rituelen waarmee ze je ziel tormenteerden.

Ik sjokte de trappen op naar de tweede verdieping. In het trappenhuis rook het naar pis. De buren lieten hun hond overal pissen, maar stonden direct aan onze deur als wij op het balkon een kip wilden barbecueën. Dat vonden ze stinken. Ik begreep niet waarom we nog altijd in deze rotflat woonden.

In de hal was niemand. Ik liep de gang door en opende de deur naar de huiskamer. Daar hadden ze zich allemaal verzameld. Mam keek niet naar me op. Naast haar zat de moeder van Frank, een vriend met wie Kian op vakantie was. Ze had rode ogen en nam sterke trekken van haar peuk.

'Waar is je vader?' vroeg oom Ruz met hese stem.

'Beneden in de auto,' antwoordde ik vertwijfeld.

'Ik ga hem wel halen.' Hij kwam overeind en liep de deur uit.

Mam begroef haar hoofd in haar handen en begon te snikken. Ik begreep er niets van. Waarom waren ze niet boos op me?

'Wat is er aan de hand?' vroeg ik tante. 'Ik ben toch terug? Mij mankeert niets. En de auto is ook oké. Alleen die bumper maar...'

'Stil maar,' zei tante. 'Het is goed.' Franks moeder keek me met medelijden aan.

Ik herkende de sfeer van de keren dat een familielid in Iran was overleden. Een oom of tante. Maar waarom was Franks moeder er? Wat had zij ermee te maken?

'Er is niets,' zei tante weinig overtuigend. 'Ik roep je zo.'

Mijn vader stormde de kamer in en keek verwilderd om zich heen.

Mam stond op en vloog hem in de armen.

'Kom,' zei oom Ruz tegen me, 'laten we naar buiten gaan.'

'Ik wil niet naar buiten. Ik wil weten wat er aan de hand is. Zeg het me nou!' schreeuwde ik.

Hij greep me stevig bij mijn bovenarm en sleurde me mee. 'Ik vertel het je wel als we buiten zijn!'

Ik wist dat er iets ernstigs aan de hand was, maar kon niet bedenken wat. Er kon niets zijn wat deze dramatiek kon rechtvaardigen, vond ik. Ik besloot me koest te houden tot oom Ruz het tijd vond om me te vertellen wat er was.

'Kian is verdwenen,' zei hij toen we het winkelcentrum waren genaderd. Hij aarzelde. Zijn ogen waren vochtig en hij moest lang zoeken naar de juiste woorden. 'Hij is al drie dagen zoek. Ze hadden hun tent opgezet aan het meer. Je broer is 's middags het water in gegaan. Daarna heeft niemand hem meer gezien. Misschien is het niets. We weten het niet.'

We stonden voor de snackbar, in de geur van hete olie en friet. Ik voelde mijn gezicht koud worden. Verder niets. Geen verdriet, geen vraag, geen woede – helemaal niets.

We namen een winkelwagen en ik reed er zwijgend mee de supermarkt in. Een boodschappenlijst hadden we niet nodig, want we kwamen geen boodschappen doen.

Nadat we een paar minuten doelloos langs de schappen hadden gelopen, zei oom Ruz dat het tijd was om terug te gaan. We lieten het karretje achter in een gangpad en liepen over het fietspad terug naar huis.

Diezelfde avond vertrokken mijn ouders richting Slowakije. Een kennis bood aan hen te rijden. Ik klampte me vast aan mijn vader en smeekte hem me mee te nemen. Hij pakte me stevig bij mijn schouders en duwde me tegen de muur.

'Stel je niet zo aan!' zei hij boos. 'Je moet hier blijven, voor het geval je broer belt.'

Om het uur belde hij vanaf een tankstation langs de snelweg om te vragen of er nieuws was. Eerst vanaf de Duitse grens, toen vanuit een tankstation bij Frankfurt, en weer later vanaf de Oostenrijkse grens. Elke keer deelde ik hem hetzelfde mee. Geen nieuws: Kian had niet gebeld. Duikers zochten ondertussen het meer af, op zoek naar zijn lichaam.

Op mijn verjaardag, drie dagen later, kwam er een telefoontje uit Slowakije. Het was mijn vader. Hij sprak zo zacht dat ik hem bijna niet kon horen. Achter hem hoorde ik meeuwen. Ze stonden bij het meer. Mijn vader begon te snikken. Het was voor het eerst dat ik hem hoorde huilen. Tante graaide de draadloze telefoon uit mijn hand. Ze liep naar de gang en sloot de deur achter zich.

Het was volledig stil in huis. Tante was heel lang aan het luisteren. Het was zo benauwd in de kamer. Mijn hoofd leek in een bak met water te zijn ondergedompeld. Ik begroef mijn gezicht in mijn handen en drukte met mijn palmen stevig tegen mijn oogleden tot ik sterretjes zag.

Tante doorbrak de stilte met een gil die dwars door de muren schoot. Ik opende mijn ogen. Buiten vloog een vliegtuig voorbij. Reizigers, koffers, mensen die morgen ergens anders zouden zijn.

Het was mijn dertiende verjaardag. Vanaf die dag was ik geen jochie meer.

Veertig dagen lang hadden we dag en nacht mensen over de vloer. Je kon geen deur opentrekken of er zat een groepje mensen samengeschoold, allen gekleed in het zwart. Het was onmogelijk me af te zonderen van de rouwende menigte. Iedereen scheen ontzettend veel medelijden met me te hebben. Eén keer, toen ik nietsvermoedend door de huiskamer slenterde, trok een vrouw me met een ruk naar haar stoel om op mijn schouder uit te huilen. Ik kende haar geeneens. Ze sloeg me steeds tegen mijn hoofd en jankte dat ik zo'n pechvogel was, nog erger dan mijn broer, die tenminste dood was, en het allemaal niet meer hoefde mee te maken. 'O heimwee! O thuisland! Waarom heb je ons dit aangedaan?' jammerde ze hardop in mijn oor. Ik bevrijdde me uit haar greep en maakte dat ik wegkwam.

Als ik op het grasveld voor ons huis speelde, vergat ik dat mijn broer dood was. Het leek dan alsof niets me echt kon raken; een toestand die ik steeds makkelijker kon oproepen. Ik vroeg me af of andere mensen wel echt verdrietig waren, of dat ze maar deden alsof.

Maar zodra ik in het huis kwam werd ik bevangen door een knagend schuldgevoel. Mam trok de hele dag aan haar haren en kraamde wartaal uit. Als ik haar voorbijliep zag ze me niet eens. Mijn vader was vermagerd. In een maand tijd was hij twintig kilo afgevallen. Hij lag midden in de huiskamer op een dun dekentje voor de tv. De dokter kwam steeds vaker op huisbezoek.

'U moet naar het ziekenhuis,' zei de dokter. 'U moet aan het infuus.'

Mijn vader keek de dokter smekend aan. Hij zou zich liever oprollen in het kleed en ter plekke sterven dan dat hij nog een keer naar het ziekenhuis ging. Hij beloofde beter te eten.

Ik liep naar mijn slaapkamer. Het was er donker. Ik schoof de gordijnen aan de kant zodat de zon naar binnen scheen. Het raam keek uit op de L-vormige flat aan de overkant, die identiek was aan de onze. Even hoog, even breed en dezelfde vorm. Ik was van kinds af aan al geobsedeerd door hoge flats. Elke keer als ik een flat zag van meerdere verdiepingen vroeg ik mijn vader wat er zou gebeuren als ik er vanaf zou vallen.

'Dan ga je dood,' antwoordde hij droog.

Dat vond ik een geruststellende gedachte, en als ik er zeker van was geweest dat het de waarheid was, dan was ik die middag abrupt uit het raam gesprongen. Maar mam had me gewaarschuwd voor andere mogelijke gevolgen die zo'n sprong kon hebben.

'Je gaat helemaal niet dood,' had ze gezegd. 'Als je van tweehoog valt breek je je benen en moet je de rest van je leven in een rolstoel.' Sporten vond ik het leukste wat er was. De gedachte aan een rolstoel joeg me de stuipen op het lijf.

'Dan spring ik toch van de vierde,' zei ik eigenwijs.

'Dan raken je hersenen verlamd en moet je alsnog in een rolstoel,' had mam geantwoord.

's Avonds sliep ik in de slaapkamer van mijn ouders. Mijn vader was te zwak om de trap op te lopen. Hij sliep op het kleed in de huiskamer.

Ik lag op de grond, aan het voeteneinde van mijn moeders bed. Het maanlicht scheen langs het gordijn, dat gedecoreerd was met het motief van steigerende paarden. Het was moeilijk de slaap te vatten. Mam staarde de hele nacht naar het plafond en mummelde dat ze dood wilde. Zij was al oud, en Kian was nog zo jong. Waarom niet haar leven in plaats van het zijne? Waarom? Waarom? Enzovoort. Ik kon het niet meer aanhoren.

'Hou op!' riep ik op een nacht. 'Je mag niet zeggen dat je dood wilt!' Ik ging overeind zitten op mijn bedje en keek haar boos aan.

'Waarom niet?' vroeg ze jankend. 'Ik heb niets om voor te leven.'

'Je hebt mij toch? Je mag niet zeggen dat je dood wilt!'

‘Ik weet het,’ zei ze somber. ‘Ik leef alleen nog voor jou.’

Die zin maakte me oneindig verdrietig. Ik kon het niet verdragen dat ze het gewicht van haar bestaan op mijn lijf liet rusten. Zij wilde dood. En ik was de last die haar daarvan weerhield.

‘En ik leef alleen voor jou!’ zei ik. Ik weet niet waarom ik dat zei, maar ik meende het.

Ze ging rechtop zitten en deed haar leeslampje aan. Haar blik was gericht op een abstract punt in de verte. Haar lippen bewogen traag, alsof ze de woorden eerst wilde proeven voordat ze ze uitsprak. Ze keek naar me, en voor het eerst in tijden leek ze me ook echt te zien.

‘Zullen we er samen... een einde aan maken?’ stamelde ze. De extase weerklonk in de ijzige kalmte van haar stem. Die spreidde zich uit over de vloer en greep me bij mijn blote tenen. De gedachte leek me zo vanzelfsprekend als de maan die in de kamer scheen.

‘Ja,’ zei ik, ‘dat wil ik.’ Terwijl ik het zei realiseerde ik me dat ik me nog nooit in mijn leven zo volmaakt gelukkig had gevoeld als op dat moment, toen mijn moeder en ik besloten er samen een einde aan te maken.

Algauw maakte de verwondering op haar gezicht plaats voor afgrijzen. Ze sloeg haar handen voor haar hoofd en kreunde.

‘Ik ben gek geworden! Je moet niet naar me luisteren. Ik ben gek geworden.’ Ze liet zich achterovervallen op het kussen en greep weer naar Kians foto, die naast haar op het bed lag.

Het huis was weer stil. Ik keek naar haar kleine, door pijn aangevreten lichaam. Ik was niet teleurgesteld. De gedachte dat we er een eind aan konden maken wanneer we dat wilden maakte me rustig. Ik begreep dat het leven een keuze was, en dat de dood niet buiten mijn macht lag. Ik sloot mijn ogen en zonk weg in een diepe slaap.

Dat jaar was ik vaker in het asielzoekerscentrum dan op school. Ik verdoezelde mijn verzuim met ziektebrieven van de huisarts, die ik bij de conciërge inleverde. De ene keer was het mijn hart dat moest worden onderzocht, de andere keer mijn suikerspiegel, of het waren mijn spieren; elke keer moest ik wel ergens heen voor een onderzoek dat verband hield met de dood van mijn broer.

Ik sjokte met een somber gezicht en grote ogen naar de balie, leunde met mijn ellebogen op de rand, liet mijn kin op mijn handpalmen rusten en staarde de conciërge met een vermoeide blik aan.

'Moet je weer naar het ziekenhuis?' vroeg hij dan. Hij was een grijzende man met een lage bril en een vriendelijk gezicht. Ik zuchtte alleen maar en liet mijn hoofd hangen.

'Heb je een briefje bij je?' Ik frommelde het briefje dat ik die ochtend had vervalst uit mijn zak en gaf hem dat. Pas als hij het papiertje opende om het te lezen begon ik te praten, zodat hij het handgeschreven briefje niet al te aandachtig kon bestuderen.

'Het houdt niet op,' zei ik. 'Ze willen maar niet geloven dat me niets mankeert. Ik zie er toch gezond uit?' Hij bekeek me met opgetrokken wenkbrauwen en tikte met zijn pen tegen de tafel.

'Als ik het mocht zeggen wel,' zei hij. 'Maar ik ben geen dokter.'

Hij stempelde mijn briefje en overhandigde het aan me. De klus was geklaard. Ik was vrij om te gaan en staan waar ik wilde.

Mijn schoolresultaten waren bar slecht dat jaar. Dat probleem loste ik op door mijn rapport te vervalsen. Ik had een tweede, onbeschreven rapport gestolen uit het kantoor van de decaan en daar noteerde ik cijfers in waar ik mijn ouders blij mee kon maken.

'Kijk eens, mama, alleen maar negens en tienen!' zei ik terwijl ik haar het document overhandigde. Haar hoofd stond er niet naar om het na te vragen op school. En mijn vader was er bijna nooit. Hij reed heel Nederland af op zoek naar ladingen die hij kon verhandelen. De schuur was inmiddels bomvol. Daarom had hij een garage gehuurd waar hij alle zooi kon opbergen tot hij zijn eigen tweedehandszaak kon beginnen.

Voor mij was het asielzoekerscentrum een paradijs. De stille echo van de voetstappen, het afwachtende staren uit het raam, de pyjama's die ongeacht het tijdstip van de dag slap en weerloos om het lijf hingen:

ik putte moed uit de uitzichtloosheid die als een vale deken voor de ogen van de vreemdelingen hing. Het was een plek waar niemand me kon verlaten. Daar was ík degene die kwam en ging.

Mijn beste vriend in het centrum was Wise. Hij was de jongste uit een gezin van zes kinderen. Hij was geboren tijdens de invasie van de Russen in Afghanistan en was grootgebracht tijdens de burgeroorlog. Ondanks het feit dat hij was opgegroeid in een vooraanstaande familie, was hij nooit naar school geweest, zodat hij op zijn vijftiende nog steeds niet kon vermenigvuldigen, en in de veronderstelling verkeerde dat mensen niet ademden in hun slaap.

Nadat we hadden gevoetbald en getafeltennist, ging ik met Wise mee naar de doucheruimte om de meisjes te bekijken. Meestal werden we met luid gegil weggejaagd. Alleen Malaika beleefde er zichtbaar plezier aan om door ons te worden begluurd. Ze was een volgroeide Afghaanse van veertien. Althans, dat had ze in haar asielaanvraag gezegd. In werkelijkheid moest ze al achttien zijn. Ze had grote borsten en droeg altijd een strakke legging met tijgerprint en hoge hakken. Elke avond, vlak voor etenstijd, liep Malaika een ereronde door de gangen van de oude gevangenis. Ze sjokte heupwiegend langs de sportzaal en de gemeenschappelijke tv-kamer en treuzelde net zo lang tot iedereen ruimschoots de tijd had gekregen haar perfecte welvingen te bewonderen. Vervolgens liep ze als een hulpeloos wezentje de trappen af naar de kantine.

De vrijgezelle mannen bleven watertandend achter op de vloer. Veel van hen waren naar Europa gekomen met het idee dat ze de vrouwen hier voor het uitzoeken hadden. Alsof ze hun picknickmand maar hoefden uit te stallen op een willekeurige rotonde, en konden afwachten tot de vrouwen zich zouden aandienen met de vruchten en de wijn. Omdat dat niet het geval bleek te zijn kwamen ze me om advies vragen. Omdat ik al zo lang in Nederland woonde, namen ze aan dat ik een deskundige was in alle zaken betreffende sociale, maatschappelijke en juridische vaardigheden.

'We zoeken een vrouw van hier,' zeiden ze tegen me. 'Hoe kun je een Nederlandse vrouw versieren?'

'Door met haar te praten,' antwoordde ik.

'Maar we kunnen niet praten,' zeiden ze. 'Geen Engels en geen Nederlands. Alleen "Goedemorgen" en "Tot ziens"!'

Dat is goed samengevat, dacht ik, maar daar kun je geen vrouw mee versieren.

'Dat is niet genoeg,' zei ik. 'Je moet elke dag een nieuw woord leren, totdat je haar de oren van haar kop kan lullen. Alleen dan zal een Nederlandse vrouw je vertrouwen, wanneer je net zo lang tegen haar praat tot je bijna omvalt van uitputting.'

Dat bleek een onmogelijke opgave. Uiteindelijk kwamen ze allemaal uit bij Malaika, die niet zulke hoge eisen stelde aan de welsprekendheid van een man.

Malaika douchte nooit naakt. In ieder geval niet wanneer wij keken. Ze droeg een dunne, crèmekleurige onderjurk die steeds natter en doorzichter werd als ze onder het stromende water stond. Op een dag, toen Wise en ik betoverd door haar rondingen over de rand van de aangrenzende douchecabine hingen, zei Malaika dat Wise weg moest, zodat ze alleen kon zijn met me. Het zweet brak me uit.

'Waarom mag hij wel kijken en ik niet?' vroeg Wise verontwaardigd.

'Daarom niet! Als je niet weggaat ga ik gillen.'

Mopperend en klagend gooide Wise de deur van de cabine dicht en liep stampvoetend de doucheruimte uit, om even later stiekem terug te komen en op het bankje te gaan zitten.

Ik hing over de rand en keek met een grote grijns naar Malaika.

'Je mag alleen naar me kijken als je me Nederlands leert,' zei ze. Ik kon inmiddels door de dunne stof die tegen haar lichaam plakte haar tepels zien.

'Ik wil weten wat ik moet zeggen als ik naar de dokter ga,' zei Malaika verlegen.

'Waarom zou je naar de dokter gaan?'

'Ik wil niet gaan. Maar als ik ergens pijn heb, dan moet ik naar de dokter.'

'Waar heb je dan pijn?'

'Ik heb nergens pijn. Maar stel dat ik naar de dokter ga, en ik heb ergens pijn, dan wil ik weten hoe ik dat moet duiden. Hoe heet dit bijvoorbeeld?' Ze wees naar haar hals.

'Hals,' zei ik. Het was zwaar om over de rand te blijven leunen. Wise zat in een hoekje en hield met veel moeite zijn lach in. Ik tastte met mijn voeten naar zijn schouders om op hem te steunen, maar hij sloeg mijn voeten steeds weg, en hield dan weer zijn buik vast om niet in gelach uit te barsten.

'En hoe heet dit?' vroeg Malaika. Ze drukte haar wijsvinger tegen haar borst. Het waren perfect gevormde, volle tieten.

'Tiet,' zei ik. De warmte steeg naar mijn hoofd.

'Dus als ik hier pijn heb, en ik ga naar de dokter, wat zeg ik dan?'

'Dan zeg je: "Dokter, ik heb pijn aan mijn tiet."'

Ze giechelde. 'Tiet!'

'En dit?' vroeg ze toen. Ze wees naar haar navel. Het doorweekte stuk stof dat om haar lijf hing had op dat stuk een dubbele laag, waardoor ik er niet doorheen kon kijken.

'Navel,' zei ik, hopend dat ze de weg naar beneden zou voortzetten.

'En hoe zeg je: "Ik ben zwanger"?'

Ik keek naar haar buik en zag nu pas dat die een ronde, opgezwollen vorm had. Ze keek me vragend aan.

'Ben je zwanger?' riep ik vol ongeloof.

'Stil!' siste ze. 'Natuurlijk niet! Ik dacht dat we een spelletje speelden.' Ze draaide de kraan dicht en greep naar haar handdoek. 'Wegwezen. Je bent nog een kleuter. Ga met je vriendjes spelen.'

Ik gleed langs de wand naar beneden en liep de douchecabine uit. Wise volgde me stilletjes tot we op de gang waren. Toen zetten we het allebei op een rennen.

De vrijheid die ik thuis genoot had ik grotendeels te danken aan mijn lieve zus, Nini, die zo onberekenbaar en koppig was dat mam haar handen vol aan d'r had. Ze had een vriendje dat zijn diploma niet had gehaald. Hij had een stoere motor waarmee hij haar elke dag ophaalde van school.

Nadat ze op een avond met de motor tegen een boom waren gereden en Nini haar been had gebroken, verbood mam haar om die vriend nog langer te zien. Ze lichtte de docenten in over de jongen en haalde haar vanaf dat moment persoonlijk op van school. Als ze de deur uit ging, dan deed ze die op slot, zodat Nini er niet uit kon. Nini bleef verongelijkt achter, met haar gebroken been op een krukje voor de tv.

Op een middag toen ik terugkwam van school zag ik dat Nini bezweet in het raamkozijn zat en er met veel moeite uit probeerde te klimmen. Haar ene been hing al uit het raam, maar het lukte haar niet om haar andere, gebroken been over de rand te tillen.

'Wat ben je aan het doen?' vroeg ik terwijl ik geschrokken op haar af stapte.

'Stel me alsjeblieft geen vragen,' zei ze vermoeid. 'Kun je me helpen buiten te komen?'

'Waar is het gips?' vroeg ik, wijzend naar haar slanke, gebroken been, dat weerloos aan de binnenzijde van het raam bungelde.

Ze wees naar de keukentafel, waar een opengeknipte mal op lag die de vorm had van een been met een voet.

'Heb je hem er zelf af gehaald?' vroeg ik boos.

'Help me alsjeblieft,' zei ze smekend. 'Ik zit klemvast.'

'Waar wil je heen? Je kunt niet eens lopen!'

'Maak je geen zorgen, ik word opgehaald.' Als iemand in de familie me vertelde dat ik me geen zorgen moest maken, dan betekende dat dat er iets heel ergs stond te gebeuren.

'Je gaat toch niet weer achter op de motor, Nini?' zei ik bezorgd. Het was zelfmoord. Ik kon het niet toestaan.

'Nee,' zei ze aarzelend en keek stoutmoedig om zich heen. 'Hij heeft nu een auto.'

We keken elkaar kort aan en schoten allebei in de lach.

'Ik meen het,' zei ze. 'We gaan naar vrienden in Zwolle. Als je me helpt, mag je mee.'

'Naar Zwolle? Met die gek achter het stuur? Ik spring nog liever van een flat!'

'Stel je niet zo aan! Hij kan hartstikke goed rijden. Ga je me nog helpen of hoe zit het?'

Met Nini wist je dat het geen zin had om tegen te stribbelen. Ze zat er hulpeloos bij in het raamkozijn, en ik kon haar niet langer laten bungelen. Ik haalde mijn schooltas van mijn rug en hielp haar voorzichtig naar buiten. Ze leunde op mijn schouder en hinkte over de galerij. Bij de trappen hield ze de leuning stevig vast en sprong een voor een de treden af tot we beneden waren. We gingen naast elkaar op de stoep zitten en keken voor ons uit.

'Denk je dat pap en mam gelukkig zijn?' vroeg ze even later. Ik had mijn armen om mijn benen geslagen en leunde met mijn hoofd op mijn knieën. De buurvrouw reed voorbij in haar Fiat Panda. Ze zwaaide kort naar ons.

'Nee,' zei ik ongeïnteresseerd.

'Maar wil jij graag dat ze samenblijven?' drong ze aan.

Ik haalde mijn schouders op. 'Niet per se.' Ze waren toch nooit samen, en als ze dat wel waren, dan hadden ze vaak ruzie. Het kon me allemaal niet zoveel schelen. Liever dacht ik na over de dag dat ik zelf eindelijk van huis weg kon.

'Ik denk dat ze moeten scheiden,' zei Nini peinzend. 'Zou dat niet veel beter zijn? Ik ga dan met papa mee, en jij blijft hier. Dat lijkt me de beste oplossing.' Dat leek mij helemaal niet de beste oplossing. Mam was veel strenger. Als Nini wegging zou ze al haar aandacht op mij vestigen en kon ik me niet meer verroeren. Ik stemde niet in met het plan. 'Laat ze het lekker zelf uitzoeken,' besloot ik.

Een kwartier later was haar vriend nog steeds niet komen opdagen.

'Wat een loser,' zei Nini met een vies gezicht. 'Ik haat jongens die niet op tijd zijn. Kom, we gaan naar boven.' Ze trok zich overeind en hinkte richting het trappenhuis. Ik liep achter haar aan de trappen op. Binnen hielp ik haar het gips weer om haar been te zetten, zodat mijn moeder niets te weten zou komen over haar vluchtpoging.

Niet lang daarna vond Nini een nieuwe vriend, die in Amsterdam woonde. Het was een crimineel die altijd een pistool bij zich droeg. Mam kon zich wel voor het hoofd slaan. Was ze maar bij de jongen en zijn motor gebleven.

Als beloning voor mijn uitstekende rapportcijfers mocht ik in de voorjaarsvakantie een week bij Wise in het centrum logeren. Mam vond dat het geen kwaad kon als ik met hem optrok. Bovendien wist ze dat de rouwsfeer thuis ondraaglijk voor me was geworden.

Ik zocht met Wise het hele centrum af naar Malaika. Maar ze hield zich schuil in haar eigen kamer en kwam er zelfs rond etenstijd niet meer uit. Iedereen in het centrum wist inmiddels dat ze zwanger was. De geruchtenmachine was meedogenloos. Als er een belangwekkend nieuwtje was leek iedereen elkaar plotseling perfect te verstaan. Alle verschillende talen en culturen die het centrum rijk was kwamen bijeen om hun licht te laten schijnen over de vaginale opening van Malaika.

Iemand zei dat haar stiefvader, die met drie van zijn acht vrouwen naar Nederland was overgekomen, haar had bezwangerd. Een walgelijke daad, die strafbaar was volgens alle religies en wetboeken van de hele wereld. De groep jonge vrijgezellen, die zich rond dit voorval voor één keer hadden verenigd, vond dat de stiefvader publiekelijk gestenigd moest worden, en opperden het diezelfde nacht nog te doen, op de kinderspeelplaats voor het centrum.

Maar hij was niet de enige verdachte in de zaak. Er waren ook geruchten dat een manke, minderjarige Afrikaan haar had bezwangerd. Hij stond een keer tegen haar indrukwekkend gevormde billen op te rijden terwijl ze haar fiets van het slot probeerde te halen. In dat geval vonden de wijze mannen op hun beurt dat niet de stiefvader, maar Malaika zelf gestenigd moest worden. Hoe haalde ze het in haar hoofd om het met een zwarte te doen? Het kon echter ook een van de gespierde bewakers zijn geweest die tussen haar gewillige benen was gedrongen. Hij gaf haar altijd een knipoog wanneer ze voorbijwaggelde op haar naaldhakken, een soort mariniersavance. In dat geval kon iedereen er begrip voor opbrengen en gunden ze Malaika haar Nederlandse paspoort. De enige kronkel in de zaak was de penis van de bewaker. Was hij wel besneden?

Mij interesseerden al die indianenverhalen niets. Ik wilde met Malaika naar bed. 's Avonds kon ik de slaap niet vatten en overdag dacht ik nergens anders aan. Maar hoe moest ik het aanpakken? Ik kon niet zomaar bij haar aankloppen. Dat zou haar nog meer te schande maken. Bovendien zou iedereen denken dat ík haar zwanger had gemaakt.

Op een ochtend zat ik met Wise op het grasveldje voor het centrum te bespreken hoe we Malaika naar buiten moesten lokken, toen een blauwe bestelwagen over de oprit reed en vlak voor ons tot stilstand kwam. Een man met een strenge snor stapte uit.

'Zoeken jullie werk voor vandaag?' riep hij kortaf vanaf de parkeerplaats. Hij droeg een versleten, grijs pak dat hij waarschijnlijk ook had gedragen op zijn bruiloft. Het was een Perzische tapijtenhandelaar, maakte ik op uit de belettering op zijn auto: HANDGEKNOOPTE PERZISCHE TAPIJTEN VOOR IEDER INTERIEUR. Hij zocht twee jongens die in de buurt van de Duitse grens wilden flyeren voor zijn nieuwe zaak. Het betaalde een tientje per dag, en we moesten een grote afstand afleggen op de fiets.

Ik leunde op mijn ellebogen op het grasveld en kauwde bedachtzaam op een grasprietje.

'Tien is te weinig,' riep ik hem toe. 'We willen twintig ieder, plus een reiskostenvergoeding en lunchgeld.'

De tapijtenhandelaar draaide aan zijn snor en streek zijn pak recht.

'Vijftien ieder,' zei hij gedecideerd. 'Meer kan ik niet bieden. De heenweg kunnen jullie met mij mee, maar je moet zelf terug zien te komen. Graag of niet.'

'Helemaal vanaf de Duitse grens?' vroeg ik verbijsterd. 'Dat is zestig kilometer op de fiets!' Het ging me niet om het geld. Ik wilde me niet laten afzetten. Het was een type man dat je veel te weinig bood, zodat je vervolgens tevreden zou zijn met ietsje meer. Mijn vader was net zo.

'Luister eens, snotneus,' zei hij. 'De reden dat ik zo genereus ben is dat ik een zoon heb van jullie leeftijd. Maar haal je geen gekke dingen in je hoofd. Als je het niet wilt zoek ik iemand die het voor een tientje doet. Graag of niet.'

'Laten we het doen,' fluisterde Wise. 'Ik verveel me dood hier, er gebeurt niets.' Dat was niet helemaal waar. Ik had gehoord dat yoghurt een vermoeiende uitwerking had en wilde uitproberen of dat ook echt zo was. We hadden afgesproken die middag ieder vier pakken yoghurt te drinken, om daarna te klokken hoe lang onze middagslaap zou duren.

Veel tijd om te treuzelen was er niet. Een paar uitgeprocedeerde asielzoekers stonden als hongerige wolven paraat om de klus op zich te nemen. Zolang Malaika in haar kamer bleef, verkeerden de mannen van het centrum in een rouwstemming. Ze schoren hun baarden niet, droegen zwarte kleren en belden hun zieke moeders op vanaf de telefoons in de hal om te klagen over de liefdeloosheid van Nederland. Voor een herkauwde kauwgombal zouden ze de tapijtenhandelaar volgen tot het einde van de wereld, als ze maar onderweg waren, ver bij hun zorgen vandaan. Ik had mijn eigen zorgen. Maar daar wilde ik het niet over hebben.

'Vooruit,' riep ik, 'we doen het.' De tapijtenhandelaar lachte en streek zijn pak recht.

'Goed zo,' zei hij tevreden. 'Pak de fietsen en gooi ze achterin. We hebben een hoop te doen vandaag.'

We zaten met z'n drieën voorin en reden richting Rhenen. De tapijtenhandelaar zat nerveus achter het stuur en stak de ene na de andere sigaret op, alsof hij achterna werd gezeten.

De fietsen rammelden in de laadruimte en de motor van het busje brulde als een geketend monster.

'Jullie zijn toch wel te vertrouwen, hè?' schreeuwde de tapijtenhandelaar terwijl hij van baan wisselde en de auto in zijn hoogste versnelling zette. 'Als je van plan bent me te naaien, kun je dat beter meteen zeggen, dan zet ik je af bij het eerste het beste tankstation en zie je maar hoe je thuiskomt. Ik ga uit van het goede in de mens, het sociale wezen met een drang naar samenhorigheid. Maar mijn teleurstelling wil je niet meemaken. Nee, meneer! Ik heb al genoeg klappen gehad uit goedgelovigheid.'

Hij nam een stevige trek van zijn sigaret en keek ons beurtelings aan in zijn achteruitkijkspiegel.

'Je kunt ons vertrouwen,' zei ik, terwijl ik mijn voet tegen het dashboard klemde. 'We werken voor een ander zoals we dat voor onze eigen zaak zouden doen.'

Hij glimlachte. 'Dat dacht ik wel. Afghanen zijn loyale mensen. Jullie zijn veel betrouwbaarder dan mijn landgenoten. Die denken allemaal dat ze slimmer zijn dan de rest. Ze zoeken altijd naar een paadje binnendoor, de snelste weg naar succes. Maar wie snel wil zijn slaat in zijn haast zo een doodlopende weg in, begrijp je? Ze zoeken hun geluk in een doodlopende weg. Ha! Die moet ik onthouden.' Hij sloeg op zijn knie en staarde kortstondig naar zijn versnellingspook. 'Verstaan jullie me eigenlijk wel?'

Hij verkeerde nog altijd in de veronderstelling dat ik een Afghaanse asielzoeker was, en ik had geen zin om hem anders te doen geloven. Ik knikte alleen maar. Wise was in slaap gesukkeld. Zijn hoofd bungelde heen en weer ter hoogte van zijn buik.

De man parkeerde de bestelwagen voor de deur van de opslagplaats en opende de rolluiken. Het was donker binnen, en het rook er naar mottenballen. Honderden kleurrijke tapijten waren gerangschikt op formaat en op elkaar gestapeld in de showroom, die, af te leiden aan het gebrek aan spotjes en elke andere vorm van inrichting, nog niet gebruiksklaar was. We volgden hem de trap af naar de vochtige kelder, waar hij tientallen dozen met flyers had. De foto op de flyer was niet van zijn eigen zaak. Ik dacht dat het een fout was en vroeg hem ernaar.

'Je wordt niet betaald om vragen te stellen, snotneus,' zei hij. 'Pak dit aan en stop het in de fietstas daar.' Hij drukte een stapel zwart-wit bedrukte vellen tegen mijn borst en wachtte af tot ik ze uit zijn handen nam. Ik hield er niet van om orders op te volgen. Daarom werkte ik ook niet meer met mijn vader. Die vertelde me ook altijd wat ik moest doen.

Het liefst was ik voor mezelf begonnen. Ik wist alleen nog niet in wat. Tweedehands spullen vond ik maar niets: zwaar werk en weinig winst. In het centrum kwamen elke dag gestolen fietsen en kleren binnen. Op school zou ik die met goede winst kunnen doorverkopen. Een weg loopt alleen maar dood als je je er blind op staart, dacht ik bij mezelf.

De man nam de vellen uit de dozen en wij vulden de fietstassen tot er niets meer bij kon.

'Jullie hebben er ieder tienduizend,' zei hij. 'Het kan me niet schelen hoe lang het duurt, maar de flyers moeten allemaal zijn verspreid voordat je vanavond naar huis gaat. Gesnopen?'

Niks gesnopen! Twintigduizend huizen zouden we nooit redden in een dag.

'Dit zijn de dorpen die je langs moet gaan.' Hij haalde een kaart te voorschijn en wees ons een aantal dorpjes rond Rhenen. Wise volgde aandachtig de vinger van de tapijtenhandelaar over de kaart. Hij had geen idee waar we waren. Behalve het asielzoekerscentrum van Amersfoort en het ontvangstcentrum in Zevenaar had hij niets van Nederland gezien. Voor hem was dit een avontuur. Een kans om het echte Nederland te zien, het deel dat zich niet wekelijks moest melden voor een stempel en niet in de rij hoefde te staan voor een avondmaal.

'En wanneer krijgen we het geld?' vroeg ik brutaal. De tapijtenhandelaar lachte en gaf me een klap op mijn achterhoofd.

'Je bent een geboren zakenman. Als je je werk goed

doet, neem ik je in dienst.' Hij haalde zijn portemonnee te voorschijn en pakte er een paar briefjes uit. Hij maakte aanstalten om de briefjes aan me te overhandigen, maar trok zijn hand op het laatste moment terug.

'Als er ook maar één flyer overblijft...' zei hij met een opgeheven vinger. Hij maakte zijn zin niet af.

Net toen we de trap op waren gelopen naar de showroom, liep er iemand de zaak binnen. Het was een man van begin dertig met een popsterrenkapsel. Het duurde even voor ik hem herkende. Het was een kennis van mijn vader, die recent nog bij ons op visite was geweest. Hij keek naar me, maar kreeg geen kans me goed te zien in het schimmige licht. Ik groette hem kort, zoals je een onbekende voorbijganger groet, en liep vlug de straat op.

'Waar beginnen we?' vroeg Wise toen we eenmaal op de fiets zaten. Hij beleefde zichtbaar plezier aan dit uitstapje en verheugde zich op de spannende avonturen die ons te wachten stonden.

'Wat denk je van biefstuk?' vroeg ik. Het was pas twaalf uur, maar we hadden niet ontbeten en ik had al behoorlijke trek. Wise grinnikte.

We fietsten de dorpsstraat in en parkeerden onze fietsen voor een eetcafé.

'Twee biefstuk met friet en twee biertjes,' zei ik toen de serveerster aan onze tafel stond. De vrouw keek ons wantrouwend aan.

'Zijn we alleen vandaag?' vroeg ze uit de hoogte.

‘Nee,’ antwoordde ik. ‘Mijn moeder is aan het winkelen. Ze komt ons zo ophalen.’

‘Dan mag ik jullie geen bier serveren,’ zei ze resoluut.

‘Wat? Hoezo niet? Ik ben al zestien en mijn collega hier is zeventien.’ Ze fronste haar wenkbrauwen. Meestal geloofden mensen me wel als ik zei dat ik zestien was. Ik had al baardgroei. Maar de haartjes waren nog te zacht, en onschuldig.

Ik voelde me perfect toen de sappige biefstuk voor me lag. Ik sneed kleine, elegante stukjes van het malse vlees. Wise daarentegen ploeterde met zijn mes en vork alsof hij een levend paard op zijn bord had.

Nadat we hadden afgerekend bleef er niets meer van ons loon over. We stapten op onze fietsen en begonnen aan de onmogelijke missie.

Tegen vijf uur in de middag hadden we pas de helft van de flyers verspreid. Ik begon alweer honger te krijgen en het was nog minstens twee uur fietsen naar huis. Bij een grote container haalde ik alle overgebleven flyers uit mijn fietstas om ze in de vuilnisbak te donderen. Een spitse wandelaar hield zijn pas in en bekeek me met argusogen. Hij droeg een korte broek en stond licht achterovergeleund, als een schoolmeester tijdens de gymles.

‘Papier moet in de papierbak!’ zei hij betweterig toen ik het stapeltje in de container wilde gooien.

‘Waar is de papierbak dan?’ vroeg ik.

'Dat mag je lekker zelf uitzoeken. Hup! Wegwezen hier!'

'Hup'. Ik kon geen woord bedenken waar ik een grotere hekel aan had dan aan dat woord: 'hup'.

'Te laat,' antwoordde ik breed grijnzend, en liet het stapeltje uit mijn hand glijden. Ik sprong snel op de fiets en maakte dat ik wegkwam. Wise reed me grinnikend achterna.

Twintig kilometer buiten Amersfoort stortte ik op het fietspad langs de weg neer van de honger. We hadden onze laatste centen uitgegeven aan drop, en we hadden niets te eten. Ook Wise kwam niet meer vooruit. Hij liet zich in de berm vallen en begon kreunend door het gras te rollen.

Langs het fietspad, achter een smal beekje, was een maïsveld zo groot als een woestijn. De kloeke kolven staken kaarsrecht uit de aarde. De maïskorrels schitterden in het licht. Ook Wise had de gouden gloed nu opgemerkt.

Ik had met mijn vader weleens maïs geplukt uit zo'n veld. Die hadden we thuis op de barbecue gegooid en we hadden smachtend gewacht tot hij goudbruin was om er vervolgens onze tanden in te zetten. Maar de maïs bleek taai als karton en was oneetbaar. Zelfs de koeien klaagden jammerlijk over dat spul.

Dat vertelde ik Wise, maar hij was niet op andere gedachten te brengen. Hij sprong over het slootje en trok wild een paar kolven uit de grond. De boer, die net zijn veld aan het besproeien was, zag het en rende ons met een hark achterna. Wise probeerde weer over het slootje te springen, maar struikelde, waardoor de kolven uit zijn handen vielen. We sprongen weer op de fiets.

In een dorp even verderop zag ik een kast van een huis, met een stuk land eromheen waar je een hoofdstad op kon bouwen.

'We moeten die mensen om brood vragen,' zei ik tegen Wise. 'Anders gaan we dood.'

'Wat moet ik dan zeggen?' vroeg Wise. Hij woonde pas een jaar in Nederland en sprak de taal nog niet. Ik vertelde wat hij moest vragen.

Hij liep naar de ingang van de boerderij en belde aan. Na een paar tellen opende een chagrijnige boer op laarzen de deur. Wise sprak aarzelend de woorden uit die ik hem had geleerd.

De boer schudde zijn hoofd en gooide de deur dicht in zijn gezicht.

'Wat een hufter!' zei Wise woest. 'In Afghanistan zou zelfs een bedelaar je een stuk brood afstaan als hij zag dat je honger had.'

Bij het volgende huis was het mijn beurt om het te proberen. Met knikkende knieën belde ik aan bij een kleinere boerderij waarvan de ramen openstonden. Een oud vrouwtje stak haar hoofd uit het raam.

'Hallo,' zei ze met bevende stem. 'Wie bent u?' Ze had kort wit haar, dat haar schedel nauwelijks bedekte, en droeg een roze wollen vest. Wise stond op de oprit en leunde over het zadel van zijn fiets.

'Goedenavond, mevrouw,' zei ik overdreven beleefd. 'Mijn collega en ik hebben honderd kilometer gefietst. Onderweg zijn we aangehouden, in elkaar geslagen en bestolen. We hebben honger. Als we niets eten komen we om. Bang om te sterven zijn we niet, maar dit is een tragische manier om te gaan. Mogen we misschien een snee brood van u? We zouden u eeuwig dankbaar zijn.'

'O,' zei ze vertwijfeld, 'ik heb geen brood. Wel krentenbrood.'

Alleen al bij de gedachte eraan begon ik te kwijlen.

'Dat is ook prima,' antwoordde ik, 'wij nemen genoegen met wat u ons kunt aanbieden.'

Heel even dacht ze na. Haar aderen waren goed zichtbaar door haar gerimpelde huid. Ze moest al in de negentig zijn.

'Kom maar binnen via de achterdeur,' zei ze. 'Ik smeer krentenbrood voor jullie, met boter en suiker. Maar dan moeten jullie wel *Lingo* met me kijken.' Ze bleef afwachtend bij het raam staan tot ik haar had verzekerd dat we niet zouden weggaan voor het programma afgelopen was.

We hadden wel boeven of moordenaars kunnen zijn. Het deerde haar niet. Iedere vorm van gezelschap was welkom.

Even later zaten we bij haar op de bank, met het krentenbrood op schoot naar *Lingo* te kijken. Wise kende het programma niet en verstond er niets van. Dat maakte niet uit. De oude vrouw verwachtte geen gesprek. Ze wist dat we bij haar waren, dat was genoeg. Toen het programma afgelopen was gaf ik haar een zoen op haar wang. Ze glunderde.

'Komen jullie vaker langs?' vroeg ze.

'Doen we!' beloofde ik. Wise en ik stapten weer op de fiets. Bij de eerste kruising in Amersfoort namen we afscheid. Ik was doodmoe en wilde in mijn eigen bed slapen. We spraken af voor de dag erna.

Die avond hadden we bezoek uit Parijs. Het was een oude partijgenoot van mijn moeder die wel vaker bij ons thuis was geweest. Deze keer was hij met zijn gezin afgereisd naar Nederland en ze zouden het hele weekend bij ons blijven. De dochter van de partijgenoot was bloedmooi. Ze had bruine ogen, bolle wangen en lange, zwarte haren die over haar schouders vielen. Ze had de mouwen van haar groene jack opgetrokken, waardoor haar smalle onderarmen onbedekt waren. Haar huid was bij de polsen opengekrast. De littekens daarvan waren goed zichtbaar. Ze zat op de bank met een modeblad op haar schoot en een appel in haar hand en had me nog niet opgemerkt.

'Waarom zeg je niets?' vroeg mam me.

'Sorry,' stamelde ik, en gaf iedereen een hand. De dochter glimlachte en strekte haar hand elegant naar me uit, zoals hofdames dat deden in ouderwetse films. Sali heette ze.

'We hebben net je rapport bekeken,' zei haar moeder, die naast haar op de bank zat. Ze had geen nek, alsof iemand met een grote hamer op haar hoofd had geslagen. En haar stem was zo schel als geroest metaal. Ik kon me nauwelijks voorstellen dat het wonderschone meisje uit dat kleine, wrokkige lijf van de moeder was gekomen.

'Ik wou dat Sali zulke resultaten behaalde,' zei ze. Ze wendde zich tot mijn moeder en vervolgde haar klaagzang: 'Ze studeert wel hard, maar ze haalt alleen maar zessen en zevens. Ik denk dat ze er niet bij is met haar hoofd. Het is hol vanbinnen.' Ze klopte met haar knokkels tegen haar voorhoofd alsof het een oude, gietijzeren deur was. 'Ze luistert de hele tijd naar praatprogramma's op de radio. Onderwerpen die helemaal niet geschikt zijn voor een meisje van dertien. Daarom kan ze zich niet concentreren. Ze staart naar haar boeken alsof er elk moment vruchten uit kunnen groeien.' Toen keerde ze zich weer tot mij. 'Luister jij naar de radio als je studeert?' vroeg ze.

Sali rolde met haar ogen en sloeg een pagina om.

'Nee, nee,' antwoordde mijn moeder in mijn plaats. 'Hij studeert in de bibliotheek en komt pas terug als zijn huiswerk af is.' Sinds de dood van mijn broer kon ik mijn moeder alles wijsmaken.

Sali nam een venijnige hap van haar appel.

'Misschien kunnen jullie morgen wat oefeningen doen. Dan gebruikt ze haar vakantie tenminste goed,' zei de moeder.

'*Maman!*' reageerde Sali getergd.

'Wat nou *maman*,' sneerde de moeder. 'Hij heeft een tien voor wiskunde. Wanneer heb jij voor het laatst een tien gehaald?' Ze wendde zich weer tot mam. 'Die van mij is zo koppig als een ezel. Als je eens wist wat ik te verduren heb. Mijn hele lichaam doet er pijn van, en ik heb een stekende migraine. Denk je dat het haar kan schelen? Nee hoor. Mevrouw maakt zich alleen druk om haar vriendinnetjes, met wie ze de hele dag aan de telefoon zit.' Ze kreunde en greep naar haar voorhoofd. Haar vader zat er alleen maar bij en glimlachte sympathiek. Alsof het een gesprek over tulpen was. Ik kon de situatie geen seconde langer verdragen en zei dat ik moest douchen en haastte me de trap op.

De ochtend erna ging ik niet naar het asielzoekerscentrum. Het had de hele nacht geregend en grijze wolken hingen nog steeds boven de stad.

Ik keek uit het raam en dacht na over hoe ik alleen kon zijn met Sali. Met dit weer kon ik haar niet mee naar buiten vragen. Bovendien moest ze al een hekel aan me hebben.

Toen ik even later aanstalten maakte om naar beneden te gaan voor het ontbijt, stond ze net op het punt de trappen op te lopen. Ze zag me en bleef halverwege staan.

'Mag ik in jouw kamer zitten?' vroeg ze vermoeid. Ze wachtte mijn antwoord niet af, liep de trap op en stapte mijn slaapkamer in, alsof ze al jaren bij ons over de vloer kwam.

Ze liep traag langs de posters aan de muur en bekeek mijn rommelige bureau, waar een paar schoolboeken op lagen. Ze bladerde kort door de opengeslagen schriften en ging toen in kleermakerszit op de grond zitten, leunde tegen de kledingkast en keek met grote, onderzoekende ogen naar me op, alsof ze nog bezig was haar oordeel te vellen.

'Laat me je niet van je werk houden,' zei ze spottend.

Ik trok een la open, haalde mijn echte rapport onder een dikke stapel papieren vandaan en overhandigde het haar met trots. Ze nam het opengeslagen rapport uit mijn handen en bekeek de drieën en vieren die de binnenzijde ervan vulden met een groeiend ongeloof.

'Smiecht!' riep ze luid, en sloeg met haar vuist op mijn tenen. 'Ik zal nu maandenlang moeten aanhoren hoe slim jij bent, terwijl er helemaal niets van waar is!' Ze leunde weer achterover en keek me verwonderd aan. '*C'est incroyable!*'

'Als je wilt, kan ik jouw rapport ook vervalsen.'

'Nee, dank je. Wat doe je als je blijft zitten?'

'Ik blijf niet zitten.'

'Hoe weet je dat zo zeker?'

'Dat weet ik gewoon.' Ik nam het rapport uit haar handen en verborg het weer diep in de la.

Ze liet haar haar voor haar ogen vallen en staarde naar de grond. Haar bolle wangen deden haar ogen er somber uitzien.

'Ik word gek van mijn moeder. Ze jammert de hele dag dat ze pijn heeft, en denkt dat ze doodgaat. Ze zegt dat het allemaal mijn schuld is, omdat ik naar radioprogramma's luister die ze niet verstaat. En omdat ik niet met haar wil bidden om vijf uur 's ochtends. Het liefst wil ze dat we weer in Iran gaan wonen. Zodra mijn vader ermee instemt zijn we weg. *Merde!*'

Ze raapte een pen van de vloer en begon vakkundig in haar onderarm te krassen. Ze schraapte dunne laagjes van haar huid weg, zonder dat het ging bloeden.

Ik leunde tegen de muur en keek naar haar terwijl ze zichzelf toetakelde. Haar haar hing als spaghettislierten voor haar bleke gezicht. Ergens deed ze me denken aan Morticia van de Addams Family. Ze was zo cynisch, alsof ze al tweeduizend jaar bestond.

'Doet dat geen pijn?' vroeg ik haar na een poos.

Ze krulde haar onderlip. 'Als je het vaak genoeg doet gaan de zenuwen dood. Na een tijdje voel je niets meer. Dat is het ultieme geluk, denk je ook niet? Helemaal niets meer kunnen voelen?'

Sali vertelde me over Parijs, de Champs-Élysées, en alle vunzige mannen die naast haar kwamen zitten in de bus naar huis. Vanuit de bus kon je de stad goed zien: drommen mensen bij de haltes die hun stempelkaarten in de lucht hielden en zwaarmoedig instapten. Als het regende namen ze de drek mee naar binnen, en als het warm was kreeg hun eenzaamheid een verstikkende geur. Zelf woonde ze in een buitenwijk, maar ze wilde later verhuizen naar een appartement binnen de Périphérique. Soms ging ze na school naar de Sacré-Coeur om over Parijs uit te kijken. Dan kreeg ze het gevoel dat ze één was met de stad. Daar beneden werd er tegen je aan geschopt, liep je altijd iemand in de weg. Ze moest een muur optrekken om niet vermorzeld te worden onder de gulzige blikken en smerige praatjes die haar naar het hoofd werden geslingerd. Toch zou ze nergens anders willen wonen. De stad had haar temperament. Een natuurlijke afkeer van alles.

Tegen het einde van de middag was ik beneden om een fles fris uit de koelkast te pakken toen de deurbel ging. De zon was zojuist doorgebroken en het was broeierig warm buiten. Als ik geluk had kon ik vroeg in de avond, vlak voordat het begon te schemeren, met Sali naar het park wandelen. Dat was waanzinnig mooi deze tijd van het jaar. Er waren appelbomen en er was een geheim, bloemrijk hofje met witte bankjes. Als ik van school had gespijbeld en niet naar het asielzoekerscentrum wilde gaan, zat ik daar soms uren voor me uit te staren, wegdromend bij de gedachte om te vluchten van de galerijflat waar vijf identieke flats omheen stonden.

'Doe je de deur open?' riep mam vanuit de woonkamer. Ze zat samen met Sali's moeder voor de tv naar de middagherhaling van *The Bold and the Beautiful* te kijken. De mannen waren naar het tankstation om briketten te halen. We zouden barbecueën op het balkon, dat uitkeek op de flat tegenover de onze. Mensen uit het Midden-Oosten verkiezen een mals stuk vlees tussen de kaken boven de esthetiek.

Ik legde de fles 7 Up naast de grote, plastic plant in de hal en opende achteloos de voordeur.

Daar stond tot mijn grote schrik de tapijtenhandelaar. Hij droeg hetzelfde grijze pak als twee dagen ervoor en had een onheilspellende glimlach om zijn lippen.

'Zo,' zei hij met gespeelde vriendelijkheid, 'als dat onze asielzoeker niet is.' Hij deed een stap naar voren om de hal in te komen. Zonder erbij na te denken sloeg ik de deur hard dicht in zijn gezicht en bleef verstijfd staan. Hoe had hij me gevonden? Wat kwam hij doen?

Hij drukte meteen weer op de bel.

'Heb je nog niet opengedaan?' vroeg mam geïrriteerd.

'Wel,' riep ik terug. 'Iemand van de Kankerbestrijding, ik pak even wat kleingeld.'

De tapijtenhandelaar leunde met twee handen langs zijn gezicht tegen het troebele glas in de voordeur en probeerde naar binnen te kijken. De zon was opgeklommen in zijn rug en wierp zijn uitgerekte schaduw in de hal.

Hij zou niet uit zichzelf weggaan, zoveel was zeker. Ik vermande me, opende de deur en stapte op de galerij.

'Wat doet u hier?' vroeg ik, terwijl ik de voordeur

op een kier deed. 'Het is zondag,' voegde ik er met hetzelfde oplopende stemmetje aan toe. Ik hoopte dat hij zich zou verontschuldigen en weg zou gaan, als een straathond die merkt dat er niets te halen valt. Maar de werkelijkheid pakte anders uit dan ik had gewenst. Hij gaf me een geweldige draai om mijn oor en trok me richting het trappenhuis. Ik was volledig verrast door zijn hardhandigheid en kon geen kant op.

'Au! Laat me los!' schreeuwde ik. 'M'n vader vermoordt je als hij je ziet!'

Hij draaide mijn oor nog steviger aan. De grond veranderde in een zwart gat waar ik me met een neerwaartse spiraal in aan het boren was.

'Had ik niet gezegd dat je me niet moest naaien? Nou? Had ik je niet gewaarschuwd?' vroeg hij met een valse, sissende stem. Hij zwaaide met zijn vrije hand in de lucht, alsof hij die op elk moment op mijn gezicht kon laten landen. 'Nu heb ik een boete aan mijn broek omdat jij hele stapels flyers hebt weggegooid en niet eens de moeite hebt genomen om ze naar de papierbak te brengen. Luister je wel naar me! Weet je wel wat een schade je me hebt toegebracht?'

De stemmen van mijn vader en de partijgenoot klonken van onder uit het trappenhuis. Mijn vader klaagde luidruchtig over het feit dat er geen winkels open waren op zondag, en dat de enige plek waar je dan brood kon halen de moskee was, een plek waar hij nog niet dood gevonden wilde worden. 'Als je de moslims hun gang laat gaan veranderen ze heel Europa in een moskee,' riep hij hardop. 'Voor je het weet kun je geen publiek toilet meer in of er staan een paar idioten hun voeten te schrobben in de wasbak. De arme Europeanen hebben geen idee wat ze te wachten staat. Zeg, jij bent toch niet toevallig gelovig, of wel?'

De tapijtenhandelaar herkende zijn landgenoten aan de zangerigheid van hun taal. Hij liet me los en streek zijn pak recht. Ik hield mijn hand stevig tegen mijn oor gedrukt, dat flink nagloeide.

De mannen liepen de laatste treden op en zagen ons staan. Mijn vader keek ons beurtelings aan.

'Wat is hier aan de hand?' vroeg hij kort en helder. Hij zou de tapijtenhandelaar in stukjes hakken en begraven in de barbecue als hij hoorde wat er was gebeurd.

De tapijtenhandelaar wist zich geen raad met de situatie. Hij staarde kort naar de grond, en toen weer naar mijn vader. Ook de partijgenoot had zich bij ons gezelschap gevoegd. Hij had een zak briketten in zijn hand. Hij knikte vriendelijk naar me en keerde zich toen met diezelfde zachtaardige glimlach tot de tapijtenhandelaar. Ze bleven elkaar met stijgende verbazing aankijken. Toen kreeg de tapijtenhandelaar een ontwapenende glimlach om zijn lippen.

'Yusuf?' vroeg hij de partijgenoot uitbundig.

'Jamshid?' vroeg deze vol ongeloof. Hij liet de zak briketten vallen en de twee mannen vlogen elkaar hartstochtelijk in de armen.

Het bleken oude celgenoten te zijn. In de eerste jaren na de Islamitische Revolutie waren ze in een beruchte gevangenis in Teheran beland, waar ze gedurende vier jaar een cel hadden gedeeld. Ze konden hun ogen niet geloven, en waren dolblij dat de ander, van wie ze in al die jaren niets hadden vernomen, nog leefde. Op aandringen van de familie besloot de tapijtenhandelaar te blijven voor de barbecue. Voordat we naar binnen gingen aaide hij me over mijn bol.

'Ik zal je niet verraden,' fluisterde hij, en gaf me een klap tegen mijn achterhoofd.

Ik vertelde Sali niet over de gebeurtenissen in het trappenhuis. Alleen dat een oude vriend van haar vader bij toeval was langsgekomen en met ons zou meeeten die avond.

'*Putain!*' zei ze. 'Dan moeten we de hele avond verhalen aanhoren over de gevangenis. Hoe ze door de beulen werden afgemat en toch niemand hebben verlinkt. Daarna gaan ze alle kameraden af die zijn geëxecuteerd en schudden ze bedroefd hun hoofd bij elke naam die valt. Dat zijn er een heleboel, kan ik je vertellen. De halve wereld blijkt plots dood te zijn. Als ze gaan zuipen zijn we helemaal de pineut. Dan gaan ze uit volle borst strijdliederen zingen om oude tijden te doen herleven. Zeer gênant, monsieur! Soms denk ik dat mijn vader liever in de gevangenis was gebleven. Dan had zijn leven tenminste zin gehad. Heb je geen radio hier?'

'We hoeven niet thuis te blijven,' zei ik.

Die zin leek haar te verrassen. Alsof de gedachte aan buiten, de ontsnapping, nog niet eerder in haar was opgekomen.

'Mooi!' Ze stond op en haakte haar arm in de mijne. 'Neem je me mee naar een mooie plek? Ik heb gehoord dat Amersfoort een práchtige stad is, en jij bent vast een goede gids. Gaan we ergens ijs eten?'

We stonden arm in arm voor de spiegel. Ze kwam net boven mijn schouder uit. Op het balkon klonk het bulderende gelach van de tapijtenhandelaar. De geur van brandende houtskool drong door het raam naar binnen. Sali keek me afwachtend aan. Onze reflectie leek op een oude, verkleurde foto. Een verstild moment van volmaakt geluk, onaantastbaar en toch levensecht. Het gelach van de tapijtenhandelaar veranderde in een hoestbui waarin hij zowat stikte, en verbrak de stilte.

'Kom,' fluisterde Sali.

We liepen over het fietspad, langs de nieuwbouwwijken waar ik zo vaak had gewandeld met meneer Sadek, toen dit deel van de stad nog niets meer was dan een bestuurlijk idee. Op de zanderige vlaktes waarover hij had uitgekeken en waar hij zich de toekomst van Nederland als een vervlogen droom had voorgesteld, waren nu kleurrijke rijtjeshuizen gebouwd, die leken op horizontale luciferdoosjes. De Volvo's stonden netjes op de oprit geparkeerd en stipt om vijf uur steeg de geur van een sober, Hollands maal op uit elk raam dat openstond. Het hout van de daken kraakte van droog geluk onder de brandende zon.

Vlak voor mijn oude basisschool sloegen we een weg in die leidde naar de ingang van het park. Onze gympen klonken gedempt op het paadje, dat aan beide zijden werd omgeven door hoge struiken met rozenbottels. De donkere wolken, die als een dikke deken over de ochtend hadden gehangen, hadden nu plaatsgemaakt voor een heldere, blauwe lucht.

'Wat is er?' vroeg Sali. 'Je lijkt gepikeerd.'

'Morgen ga je naar Parijs,' zei ik, en slikte de rest van mijn woorden in.

'*Mon Dieu!*' zei ze lachend. 'Je denkt toch niet dat ik het laatste meisje ben met wie je naar dit park zult wandelen?' Ze pakte mijn hand vast.

'Hoe kan ik je vinden als ik in Parijs ben?'

'In Parijs vinden mensen elkaar niet. Ze raken elkaar alleen maar kwijt.'

We gingen zitten op een bankje tussen de rozenstruiken en zeiden de rest van de avond niets.

De volgende ochtend, na het ontbijt, pakte Sali haar rugtas in. Ze zouden vertrekken zodra de tapijtenhandelaar wakker was, zodat ze afscheid van hem konden nemen. De man was met de fles wodka aan zijn lippen in slaap gevallen op de bank. Hij snurkte luid toen Sali en ik met ons ontbijt op het balkon gingen zitten.

'Ik zal je mijn nummer geven,' zei ze nadat ze een

hap van haar appel had genomen. Ze pakte een papiertje uit haar jack, schreef haar nummer erop, en schoof het me toe. BEL ME OP DONDERDAGAVOND, had ze erop geschreven.

Ze kauwde op haar pen en bekeek me met samengeknepen ogen, alsof ze nog een laatste indruk wilde opslaan. Toen stond ze op en liep zonder omkijken naar binnen.

Sali's moeder had zich verkrampt over de tapijtenhandelaar gebogen en bekeek hem met een vies gezicht. Nadat ze een paar keer haar puntige vinger in zijn lijf had geduwd en hij nog geen krimp had gegeven, wekte ze hem met haar schelle stem, die als een naald door je zenuwen drong. De tapijtenhandelaar sprong de lucht in, wreef zijn ogen uit, en streek beschaamd zijn pak recht.

Een halfuur later stapte Sali achter in de Renault. Ze had haar raampje opengedraaid en keek me aan met een emotieloze blik in haar ogen. Ze zwaaide geeneens toen de auto optrok en van de parkeerplaats reed.

Ook de tapijtenhandelaar was achter het stuur van zijn bestelwagen gekropen. Hij zag me op de galerij staan en stak zijn hoofd uit het raam. 'Ik heb je niet verraden!' riep hij me toe. 'Ook niet toen ze erom vroegen! Zo zit ik niet in elkaar. Nee, meneer!'

Hij toeterde driemaal en reed met een sigaret tussen zijn lippen van het parkeerterrein af. Waarschijnlijk ging hij naar zijn tapijten in Rhenen, waar hij zijn heroïsche geschiedenis met een kopje thee kon herdenken.

Op donderdagavonden, wanneer Sali's ouders niet thuis waren, stond ik uren met haar te bellen vanuit de telefooncel voor de bibliotheek. De hele week leefde ik daar naartoe. Ik wisselde bij elke gelegenheid mijn briefjes om voor kleingeld, zodat ik niet eerder uit de telefooncel hoefde te stappen dan strikt noodzakelijk was.

Op de stoep, voor de steil oplopende ingang van de bibliotheek, was een dikkig jongetje van een jaar of tien aan het skateboarden. Hij had kort opgeschoren haar en kleine kippenogen. Elke keer rolde hij van de helling en knalde hij expres met zijn skateboard tegen de telefooncel. Hij keek me dan uitdagend aan, voor hij zich omdraaide om nog eens precies hetzelfde te doen.

Sali beantwoordde de telefoon nonchalant als altijd.

'*C'est qui?*' vroeg ze zuchtend.

'*C'est moi*,' zei ik. 'Ben je alleen?'

'Gelukkig wel. Sinds mijn moeder van ons weet heeft ze het nergens anders over. Ze zegt dat ik niet meer met je mag praten, tenzij we trouwen.' Ze grinnikte.

'Ik wil best met je trouwen.' Ik meende het. Ik zou het zo doen.

'*Génial!* Nog zo'n idioot,' reageerde ze mokkend. Om er belerend aan toe te voegen: 'Ik ben dertien, Sam, en jij veertien. Bovendien: je kunt geeneens een ring voor me kopen. Hoe wil je me ooit onderhouden als ik je vrouw ben?'

'Ik hoef ook niet per se te trouwen,' zei ik beschaamd. 'Ik bedoel alleen dat...'

'Laat maar hangen, Sam,' onderbrak ze me. Ze wisselde van onderwerp. 'Weet je wat ik vanochtend heb gedaan?' vroeg ze opgewekt.

'Nou?' Ik wierp een handjevol kleingeld in het apparaat.

'Ik heb gebeden! Kun je het geloven?'

'Ik dacht dat je daar een hekel aan had.'

'Heb ik ook. Mijn moeder heeft het me tig keer uitgelegd, maar zo vroeg in de ochtend steek ik er niks van op. En ze bidt ook niet mooi. Ze bidt als een slordige huisknecht. Normaal hurk ik met tegenzin op het kleed en imiteer ik haar handelingen vol afschuw, als een mimespeler die allang niet meer gelooft in wat hij doet. Maar vanochtend stond ik nog eerder op dan zij en poetste ik mijn tanden. Haalde het bidkleed uit de kast, knielde richting Mekka en begon te bidden alsof ik Gods nederigste dienaar was. Je had mijn moeder moeten zien toen ze wakker werd. Ze was zo van haar à propos dat ze haar eigen ochtendgebed vergat. Ze heeft jus voor me geperst en me meegenomen naar het overdekte winkelcentrum om nieuwe kleren voor me te kopen. Haha! *C'est génial!*'

Ik vond het prettig om naar haar te luisteren wanneer ze ergens enthousiast over was. Dat was ze maar zelden. Bijna altijd stonden haar mondhoeken karakteristiek naar beneden en eindigden haar zinnen in mineur. Maar vandaag niet. Ze vervolgde gewillig haar redevoering.

'De handelingen kende ik natuurlijk allemaal al,' zei ze, 'en vanochtend bedacht ik dat het verder alleen maar gefluister is. Het gaat om het gebaar, en dat je iets heel graag wilt, zo graag dat je het tegen niemand kunt zeggen. *Tu comprends?*'

Ik geloofde van wel.

Heel even was ze stil. Soms duurden die stiltes minutenlang. Dan keek ik over de parkeerplaats van de bibliotheek en luisterde naar het tikken van de telefoon, die mijn muntjes gulzig opslurpte.

'Heb jij weleens gebeden?' vroeg ze toen.

Ik dacht aan meneer Sadek, die het me niet had willen leren. Hij had het na die ene keer ook nooit meer gedaan in mijn bijzijn. Ik begreep niet waarom hij er zo geheimzinnig over had gedaan.

'Ik zou niet weten hoe,' zei ik.

'Aha,' zei ze. 'Ik zal het je leren. Maar je moet het wel willen. Wil je het?'

'Ik wil het.'

'Echt?'

'Ja. Heel graag.'

'En weet je al waar je om gaat bidden?'

Ik zei dat ik het wist.

Ik hoorde dat ze ging verzitten. Ze dacht kort na hoe ze het moest aanpakken.

'Ik leg de telefoon naast me op de grond. Maar dan kan ik jou niet meer horen. Je moet heel goed luisteren, zodat je het de volgende keer ook kunt. Je mag me niet uitlachen, want dan wil je het niet graag genoeg. Doe je ogen maar dicht.'

Ik sloot mijn ogen.

Ze legde de hoorn op de grond en begon geconcentreerd aan haar geïmproviseerde rite. Ze mengde Arabisch klinkende teksten met een onverstaanbaar, bezwerend gefluister, dat soms luider werd, en dan weer veranderde in een haast geluidloos lispelen. Ik hoorde aan de volumeveranderingen dat ze haar hoofd om de zoveel tijd naar de grond boog, zodat ze met haar lippen dicht bij de hoorn was en haar stem een zachte trilling werd tegen mijn oor.

Toen ik heel even mijn ogen opende om het saldo op het display te bekijken, zag ik dat het jongetje met het skateboard een smak maakte tegen de stoeprand. Hij begon te huilen en bloedde hevig uit zijn mond. Een man in pak, die kennelijk al die tijd in zijn riante Audi had zitten wachten tot er iets gebeurde, stapte uit en liep met grote stappen naar het jongetje toe. Hij pakte hem bij zijn arm en trok hem over de grond naar de auto. Twee tellen later reden ze weg.

Het gebed was nog niet ten einde toen ik de stem van Sali's moeder hoorde. 'Zit je nog steeds aan de telefoon?' riep ze van ver. Sali had geen tijd meer om afscheid te nemen. Ze wierp de hoorn meteen op de haak. Wat mij restte waren een lange toon en het geluid van al het kleingeld dat werd ingeslikt. De avond was gevallen. De bibliotheek was dicht. Ik zou een week moeten wachten voor ik haar weer kon spreken.

De wekelijkse telefoongesprekken kostten me zakken vol geld. En ik had nóg meer geld nodig, want ik wilde Sali zien, ik wilde met haar verdwalen in de miljoenenstad waar ze me zoveel over had verteld.

In het hotel, waar ik tafels dekte en op zondagen high tea serveerde, verdiende ik drie vijftig per uur. Het was nauwelijks genoeg om een warme stroopwafel van te kopen, laat staan een ticket naar Parijs. En dan had je nog overnachtingen en de chique restaurants aan de Champs-Élysées waar ik met haar wilde dineren.

Bij de sigarenboer in het winkelcentrum kocht ik loten bij bosjes en zette ik geld in op alles waar je wat mee kon winnen. Na een week had ik mijn maandloon verspeeld en moest ik concluderen dat ik mijn geld net zo goed aan de kerk kon doneren, want ik kreeg er niets voor terug. Je hoefde in de totoshop maar om je heen te kijken om te zien wat de vooruitzichten waren. De gemiddelde gokker was een kettingroker met gespatte aderen en wit uitgeslagen pupillen die nog niet tot twaalf kon tellen. Elke dag kwamen ze vol goede moed uitslagen voorspellen, in de stellige overtuiging dat het deze keer raak móest zijn.

Zo kwam ik op het idee om zelf weddenschappen te organiseren op school. Het ging erom de nieuwsgierigheid van mijn medescholieren aan te wakkeren en de inleg laag te houden, zodat iedereen bereid was een gokje te wagen. Wie zou het laagste cijfer halen voor een tentamen? Wie zou de jaarlijkse atletiekwedstrijd winnen? Welk meisje zou gedurende de ramadan ongesteld worden? Hoeveel boeken had een bepaalde student in zijn tas op een willekeurige dag? Voor alles had ik een apart lijstje en ik hield alles nauwkeurig bij.

Op een dag zat ik lang na de laatste les op het schoolplein om mijn wekelijkse notities en lijsten door te nemen, toen een van mijn gewoonlijk minder spraakzame klasgenoten op me af stapte.

'Meuk bij jou wesen voor een mountainbike?' vroeg hij fluisterend. Zijn naam was Erik. Hij droeg een gouden oorbel en had slotjes op zijn tanden. Ik had nooit begrepen uit welk deel van Nederland hij kwam, want hij sprak een dialect dat niemand kende. Hij was al twee keer blijven zitten, en op de vraag 'wie blijft er dit jaar zitten?' hadden zo veel mensen geld op hem ingezet dat ik had besloten hem te schrappen van mijn lijst. School interesseerde hem net zo weinig als de ingrediënten van Vietnamese soep.

Ik had me weleens laten ontvallen dat ik voor een prikkie een fiets op de kop kon tikken. In het asielzoekerscentrum kwamen er elke avond een paar binnen. Het was een kleine moeite, een extraatje. Maar ik had niet verwacht dat uitgerekend deze jongen, die een aversie had jegens alles waar geen mayonaise op zat, zou hengelen naar mijn diensten.

'Je hebt toch al een fiets?' vroeg ik wantrouwend.

Hij wipte van de ene voet op de andere en bekeek zijn witte sportschoenen, die van een omvang waren dat je er moeiteloos een dwerg in zou kunnen begraven.

'Die is gestoluh,' antwoordde hij, 'en ik ga niet weer de volle pond betale als die toch weer wordt gestoluh, begrijp je wak seggen wil?'

'Nee, Erik. Ik geloof niet dat ik begrijp wat je bedoelt.' Ik leunde voorover en bekeek hem aandachtig. Hij stopte zijn hand in zijn zak.

'Wak seg is, als je altijd in de rij blijft staan kom je neut aan de beurt. Dat is het probleem van ons Heullanders. Terwijl we allemaal netjes in de rij staan te wachten gaan de Turke er op onze fietsen vandeur.' Nu stak hij ook zijn andere hand in zijn zak en trok zijn broek op.

Er was iets met hem en de Turken. Toen we voor Nederlands een keer de opdracht kregen een gedicht te schrijven schreef hij het volgende gedicht, dat hij van een papiertje voorlas tijdens de les:

De Turke komuh d'raan,
De Turke komuh d'raan,
De Turke komuh d'raan,
Ik wil maar segge
De Turke komuh d'raan

Hij kreeg een dikke onvoldoende en besloot van zijn leven geen gedicht meer te schrijven. Toch was zijn voordracht het enige wat me was bijgebleven van die dag: *De Turke komuh d'raan.*

'Wat voor fiets wil je hebben?' vroeg ik.

Op die vraag was hij kennelijk voorbereid, want hij vouwde een papiertje uit zijn broekzak open en las me de kenmerken voor waar de fiets aan moest voldoen.

Het moest een mountainbike zijn, een zwarte, van het merk Giant, met 21 versnellingen, een 24-inch-wielframe, een in hoogte verstelbaar zadel en stuur, twee bidonhouders, splinternieuwe banden waar de zachte puntjes nog aan zaten, kappen op de trappers zodat je voeten er niet vanaf schoten, en reflecterende lampjes op verschillende plekken van het frame zodat je de indruk wekte van een kerstboom wanneer je 's nachts over een onverlichte provinciale weg fietste.

Hij vouwde het papiertje weer in vieren en borg het op in zijn achterzak.

'Kun je dat regelen?' vroeg hij afwachtend.

'Tuurlijk, jongen. Ik zal 'm morgenochtend voor je in elkaar zetten.' Ik hief mijn notitieboekje demonstratief in de lucht, ten teken dat ik een druk man was met belangwekkende agendapunten.

'Ik meen het,' zei hij, en bleef pal voor me staan.

'Stel dat ik je zou willen helpen, Erik,' zei ik, 'waar moet ik dan in godsnaam zo'n fiets vandaan halen?'

Hij haalde zijn schouders op.

'Dat is niet moeilijk. Ik vertel je wel waar die staat.' Hij kwam naast me zitten en bracht zijn hoofd dicht bij het mijne. 'Ik ben misschien wel vaak blijven zitten, maar ik ben niet achterlijk, als je begrijp wak bedoel.'

Hij opende zijn rugtas, die voor zijn voeten op de grond lag, en haalde er een notitieboekje uit dat sprekend op het mijne leek: zwart, zo groot als een kwart A4'tje, met een ringsluiting in de rug. Hij opende het boekje en hield het achteloos voor mijn neus.

'Ik achtervolg Turken die een mooie fiets hebben,' fluisterde hij in mijn oor. Hij lachte het ijzerwerk op zijn tanden bloot en duwde met zijn schouder tegen de mijne. 'Ze denken dat ik een maffe Hollander ben die in de bomen naar vogeltjes zoekt. Mafkezen! In onze buurt komen geen trekvogels meer! Ze herkennen het geeneens als ze voorbijvliegen! Ze denken dat ze boven Ankara zijn; schijten de boel onder en vliegen vrolijk duizend kilometer verder, snap je wak bedoel! En die lui hebben het geeneens in de gaten.'

Hij liet me de lijst zien waarop hij de gegevens nauwkeurig had genoteerd: adressen, kenmerken van de fiets, het soort slot waarmee die was vastgemaakt, wanneer de eigenaar thuis was, en wat de beste tijden waren om toe te slaan. Hij had zelfs clusters gemaakt van fietsen die dicht bij elkaar stonden geparkeerd en nergens aan vast waren gemaakt, zodat ze dezelfde nacht nog met een busje konden worden opgepikt. Hij nam zijn werk serieus. Dat beviel me wel.

Ik nam het boekje uit zijn hand en bladerde erdoorheen.

'Wat ik niet begrijp,' zei ik, 'is waar je mij voor nodig hebt. Je hoeft de fietsen alleen nog maar te stelen, toch?'

Hij hief zijn hoofd en keek me verontwaardigd aan.

'Ik ben geen dief,' zei hij beledigd.

'En ik wel?'

'Dat zeg ik niet. Maar jij kent mensuh die voor je steluh. Ik ken alleen mensuh die ván me steluh.' Hij pakte het boekje uit mijn hand en tikte ermee tegen zijn knie. 'Weet je hoe ik dit plan noem? Nou?' Hij lachte. 'Ik noem het de fietswroak! Haha! Ik wil geen Turk meer zien op een fiets, begrijp je wak seg? Het zijn onze fietsen!'

Het zijn onze fietsen. Het is onze olie. Iedereen eigende zich iets toe om zijn daden mee te rechtvaardigen.

'Hoe weet je dat het geen Georgiërs of Albanezen zijn die je bespioneert?' vroeg ik.

'Het zijn Turken,' zei hij zelfverzekerd. 'Ze kennen niet normaal doen. Ze kennen gewoon niet normaal doen.'

Ik liet het onderwerp rusten. Het interesseerde me niets van wie de fietsen afkomstig waren. Bovendien sprak de gedrevenheid waarmee hij te werk ging me aan.

'Hoeveel fietsen heb je op je lijst staan?'

'Twintig. Maar er komen er steeds meer bij. Wat zeg je ervan?'

Er zat geld in het plan. Ik zou een hele poos in Parijs kunnen blijven van dat geld. Hij moest alleen kappen met dat gedoe over normaal doen. Wat was er nou normaal aan om Turken te bespioneren omwille van hun fiets? Er zaten een paar draadjes los bij die jongen. Hij had poëet moeten worden in plaats van activist, maar dat waren mijn zaken niet.

'Ik zal erover nadenken,' zei ik.

'Wil je een gangster worden? Is dat wat je wilt?' vroeg mijn vader me op een regenachtige koopavond. We reden in zijn busje door het centrum van Amersfoort. Achterin lag een partij dadels die we aan Turkse winkeliers probeerden te slijten. Hij sloeg een eenrichtingsweg in en reed tegen het verkeer in richting de Varkensmarkt.

'Nou? Wil je een maffiabaas worden?' schreeuwde hij luid. Hij had zijn snor afgeschoren. Zijn korte, grijzende krullen waren strak naar achteren gekamd en hij droeg een lichtblauw overhemd waarvan de bovenste knopen openstonden, zodat zijn borstharen er triomfantelijk overheen krulden.

Van mijn liefde wist hij niets, maar hij had wel in de gaten dat ik meer geld uitgaf dan ik kon overhouden van mijn schamele bijverdiensten in het hotel.

Ik had het hem best kunnen vertellen: 'Luister, pap, het zit zo, dat meisje uit Parijs, dat bij ons op visite was...' Hij zou er begrip voor hebben gehad. In mijn situatie had hij waarschijnlijk precies hetzelfde gedaan. Alleen moest ik hem dan ook vertellen hoe ik aan het geld kwam. Daar zag ik tegen op, want met enige regelmaat rolde ik zijn zakken.

'Geef dan antwoord,' zaagde hij door.

Ik mompelde dat ik heus geen gangster wilde worden. Maar hij leek me niet te horen.

'Als je zo nodig een crimineel moet worden,' brulde hij, 'zorg er dan tenminste voor dat je er goed in wordt. Nee. Goed is niet genoeg. Je moet de beste worden!'

'Nee, pap. Kom op nou. Ik wil toch geen crimineel worden.'

'Wat?' schreeuwde hij.

'Ik zeg dat ik geen crimineel wil worden!' herhaalde ik geïrriteerd. Soms kon hij zo direct uit de hoek komen. Dan vroeg ik me af wat hij op andere momenten dacht, wanneer hij niets tegen me zei en alle opvoedkundige taken aan mam overliet. Die had me al een paar keer achtervolgd na schooltijd. Meestal had ik haar al snel door en ging ik op een bankje zitten lezen tot haar benen vermoeid raakten.

Hij ontstak de koplampen en reed over het stadsplein.

'Denk je dat ik niet doorheb dat je mijn zakken leegt?' vroeg hij op aangeslagen toon.

Er viel een pijnlijke stilte. Eén keer had ik mijn hand al diep in zijn broekzak die aan de kapstok hing toen hij de trap op liep. Ik had vlug een wattenstaafje van het nachtkastje gepakt en dat in mijn oor gestoken, alsof ik een vuiltje dat diep in mijn hersenen begraven lag eruit probeerde te vissen.

Hij schakelde en keek teleurgesteld voor zich uit. 'Je

hebt geen schuldgevoel, geen mededogen met je eigen vader, terwijl je weet dat ik me een slag in de rondte werk voor elke cent die ik verdien.' Hij liet een lange, dramatische pauze vallen alvorens hij vervolgde met: 'Het heeft geen zin je een preek te geven. Je doet toch wat je wilt. Knoop alleen dit goed in je oren: laat ik er nooit, nóóit! achter komen dat mijn zoon een kruimeldief is.'

Het blok hasj dat ik trots onder mijn matras bewaarde leek plots niets meer dan een stuk stront, achtergelaten door de straatkat van de dikke buurvrouw. Als mijn liefde voor misdaad een zaak van rebellie was, dan was er na die dag geen ruk meer aan.

Hij parkeerde de auto voor de ingang van de groothandel. Ik drukte snel mijn gordel los en maakte aanstalten om uit te stappen.

'Wacht even,' zei hij. 'Er is nog iets wat ik je wil vertellen.' Hij had de motor nog niet afgezet. De ruitenwissers gingen met veel kabaal heen en weer.

Zijn gezicht stond bedrukt. Hij was inmiddels halverwege de vijftig. De teleurstelling over alle gemiste kansen was diep in zijn gezicht gegraveerd. Toch zou hij daar nooit aan toegeven. Hij weigerde zich neer te leggen bij de ouderdom, bij het lange wachten op de dood. Hij kon zich niet verzoenen met het vooruitzicht dat het leven hier hem bood. Zijn blik vertelde me genoeg. Zijn plicht was ingelost. Ik knikte zonder het verhaal te hebben gehoord.

'Het is goed, pap,' zei ik. 'Ga maar.'

Hij keek me aan met een gezicht dat maar niet wilde opklaren. Toen tuurde hij weer voor zich uit.

'Ik heb het je moeder nog niet verteld,' zei hij aarzelend. 'Ik wil haar niet onnodig... Dit weekend, als ze bij je tante in Montfoort is, vertrek ik naar mijn broer in San Francisco.' Hij nam een peuk uit het pakje Lucky Strikes dat hij in zijn borstzak bewaarde en ontstak hem met de autoaansteker.

'Ze zal het me nooit vergeven,' zei hij terwijl hij de rook onhandig uitblies, zodat een groot deel ervan in zijn ogen terechtkwam. Hij knipperde een paar keer en wreef de rooktranen weg met de rug van zijn hand. 'We zijn al vijfentwintig jaar samen. Wat we niet hadden kunnen worden in die tijd. Als ze een beetje had meegewerkt waren we nu de rijkste familie van Nederland, groter dan C&A. Maar jullie moeder wil niets anders dan in mijn enkels bijten. Ze hangt als een worstelaar aan mijn nek. Ik hoef me 's nachts in bed maar op mijn zij te draaien of ze vindt dat ik moet ophouden met wat ik doe. Ik kan niet ademen zo. Bovendien, samen oud worden is nooit mijn droom geweest.'

'Het is goed, pap. Laten we gaan voordat de winkel sluit. Het is al bijna vijf uur.'

Het was zo verdomd benauwd in de auto, met de rook en de damp en alles. Het leek alsof we vacuüm verpakt waren, net als de dadels achterin. Ik opende de deur en stapte met mijn slippers in een plas regen. Het regende nog steeds. Dikke druppels ketsten op mijn hoofd en tegen mijn nek. Vlak voor mijn ogen leek het alsof de glazen van mijn bril werden uitgewrongen en in brokstukken op de grond vielen.

Mijn vader bleef zitten achter het stuur en nam met lange tussenpozen een trek van zijn sigaret.

Even later stapte hij uit en gooide de deur achter zich dicht. We hadden twintig dozen dadels verkocht. Nog vijfhonderdtachtig te gaan.

Die zondag werd ik later wakker dan gebruikelijk en liep de trappen af om te zien of mijn vader er nog was. We hadden elkaar het hele weekend ontweken. Als hij beneden theedronk luisterde ik boven muziek, en als hij in zijn slaapkamer was keek ik beneden tv. Maar ik wilde wel afscheid van hem nemen.

Er was niemand in de woonkamer. De afwas was gedaan, en het druiprek was afgeruimd. Alles zag er weer precies uit zoals mijn moeder het had achtergelaten.

Het busje stond op de parkeerplaats, maar dat zei niets, want naast de telefoon lag een kaart van de taxiservice naar het vliegveld.

Ik liep terug naar boven en zag dat zijn koffer niet meer op de kast lag. Zijn geurtje lag niet op het nachtkastje en zijn tandenborstel stond niet in het bekertje in de badkamer.

Op het bureau in mijn slaapkamer had hij een paar briefjes van vijftig voor me achtergelaten. Geen adres, geen telefoonnummer, alleen vier gladgestreken briefjes van vijftig. Ik stopte ze bij de rest van mijn geld, in een sok in de kledingkast.

Het zou jaren duren voor ik mijn vader weer zou zien. Maar ik had genoeg geld om naar Parijs te gaan.

Kort na zijn vertrek moest mam naar het ziekenhuis voor een chirurgische ingreep. Ze had een poliepje op haar stembanden dat verwijderd moest worden. Het was niets ernstigs, maar mam was er niet helemaal gerust op. Dat kwam door haar intense wantrouwen tegenover Nederlandse artsen.

'De dokters hier zijn gestoord,' riep ze. Ze had een sigaret in haar mondhoek en greep naar de föhn die voor haar op de grond lag.

'Nilu, die vriendin van me met wie ik altijd naar de sportschool ging – je kent haar wel, toch?'

Ik zapte naar een andere zender en knikte.

'Ze werd aangereden door een auto en moest naar het ziekenhuis om haar armen in het gips te laten zetten.' Ze legde de sigaret in de asbak en draaide een borstel in haar haar zodat het zou gaan krullen.

'De dienstdoende artsen van de eerste hulp hebben daar allebei haar onderarmen verkeerd om teruggezet.' Ze legde de föhn op de grond en draaide haar ellebogen naar buiten om te demonstreren hoe dat eruitzag. 'Kun je het geloven?'

Ze stak de sigaret hoofdschuddend weer in haar mondhoek en greep naar de föhn. 'Laatst toen ik bij haar op bezoek was wilde ze voor me koken. Ik zei dat het echt niet nodig was. Maar je kent Nilu: koppig, koppig, koppig! Ze moest en zou voor me koken, en ik mocht haar niet helpen. De hele avond had ze het erover dat ze in Italië had geleerd dat je de pasta precies op het juiste moment moest afgieten, zodat die lekker al dente is. "Ja, Nilu!" zei ik steeds. Maar ze hield maar niet op: "Al dente, al dente, al dente." "Ja, Nilu," zei ik alleen maar, "ja, Nilu." Toen het eindelijk zover was, en ze de pan gehaast van het vuur haalde, goot ze de pasta af naast het vergiet! Arme Nilu. De slierten krulden op het aanrecht als een Arabisch gedicht! Ze begon te janken als een achtjarige. En ze kon niet eens haar eigen tranen wegpinken! Wat een ellende! De dokters hier zijn gek! Dat is het. Ze zijn geestelijk niet in orde.'

Ze deed zo hard haar best om te doen of mijn vaders vertrek haar niets deed, dat ze er hyperactief van werd. Ze sloeg zo veel etenswaren in dat ik, mocht haar iets overkomen, een jaar lang geen boodschappen meer hoefde te doen. Ze vertelde me alles over haar verzekering, gaf me haar pincode, en liet me zien waar ze haar geld verstopte (wat ik al lang wist).

Niet dat haar ontkenning van mijn vaders bestaan heel overtuigend was. Als ik haar iets vroeg wat iets met hem te maken had, fronste ze haar wenkbrauwen en nam ze een peinzende houding aan, alsof ze heel lang moest nadenken om zich te herinneren over wie ik het had.

'Mam, heeft pap die blauwe riem van hem laten liggen? Je weet wel, die ene van slangenleer die hij zelf nooit droeg? Ik denk dat die wel mooi staat bij mijn nieuwe broek.'

'Wie?' vroeg ze dan, en keek me langdurig aan, alsof ze heel diep in haar geheugen moest graven om te weten over wie ik het had.

Mijn moeder was ervan overtuigd dat iedereen die goed was in wiskunde vanzelfsprekend ook een puik en betrouwbaar mens moest zijn. Daarom vertelde ik haar al tijden over een klasgenoot die zo'n onvoorstelbare aanleg had voor de exacte vakken dat de docenten ervan moesten huilen. Deze klasgenoot, vertelde ik haar, René, werd uitgenodigd voor bijeenkomsten voor hoogbegaafden, was Nederlands kampioen schaken, en bouwde in zijn vrije tijd vliegtuigmotoren. Mam smulde ervan als ik haar uitvoerige beschrijvingen gaf van de onmogelijke probleemgevallen die hij nu weer had opgelost. Toen René in haar ogen niet meer stuk kon, en ze alsmaar vroeg waarom ik hem niet een keer uitnodigde zodat zijn genialiteit ook op mij zou afstralen, besloot ik dat het moment was aangebroken om toe te slaan.

Ze zat in haar mintgroene ochtendjas op de bank, met een vliegenmepper in de aanslag, toen ik haar vertelde dat ik later die week met René en zijn vader wilde gaan vissen in Zeeland.

'Vissen?' vroeg ze kortaf, terwijl ze met haar ogen de vlieg bleef volgen waar ze sinds die ochtend de jacht op had geopend.

'Ja,' zei ik. 'Vissen. Met René en zijn vader.'

Ik probeerde nonchalant tegen de boekenkast te leunen en ongeïnteresseerd te blijven kijken. Als ze haar kans schoon zag zou ze me aan de muur nagelen en als een mitrailleur vragen op me afvuren. Haar jarenlange ervaring met Nini had haar geleerd op alles voorbereid te zijn.

De vlieg landde op de tv. Mam kwam overeind en sloop er met schurkige stappen naartoe. Ze hief de vliegenmepper in de lucht en fluisterde de vlieg nog een laatste vervloeking toe, een die met de uitroeiing van zijn soort van doen had. Maar net toen ze wilde uithalen vloog de vlieg weg en bleef daarna rondjes draaien om de lamp.

'Oké,' zei mam dreigend. 'Oké', en ze ging weer op de bank zitten, in afwachting van haar volgende kans.

'Vissen, vissen, vissen,' zei ze. 'Vis-sen,' herhaalde ze traag, alsof het woord een metafysische waarheid in zich droeg die alleen door middel van veelvuldige herhaling kon worden benaderd.

Het woord *vissen* spreidde zijn tentakels uit en wroette in mijn gedachten. Wat had ik ermee bedoeld? En waarom had het zo'n argwaan gewekt? Zweetdruppels rolden van mijn voorhoofd. Het gevoel bekroop me dat ik de grootste fout van mijn leven had gemaakt, alsof dat het woord was dat ik nooit, maar dan ook nooit had mogen gebruiken.

Ze tikte met de vliegenmepper tegen haar hand.

'Je wilt gaan vissen, zeg je.'

Het was een truc. Ze probeerde me te hypnotiseren. Dat had ze vaker gedaan. Het was zaak me niet te laten leiden door de fonetische kwaliteiten van het woord. Het woord kon duiden op de meervoudsvorm van het onderwaterdier: 'vissen', zoals je ze had in de zee, in een kom of op een bord. Of het kon duiden op het werkwoord 'vissen', een zaak waar veel geduld voor is vereist. En dan had je nog de figuurlijke zin van het woord 'vissen', zoals mam nu aan het vissen was. Tussen al die verschillende betekenissen bevond ik me, het leugenachtige monster, verzuipend in een draaikolk van bedrog. Ik stond op het punt mijn zieke moeder achter te laten, en God weet dat ik niet van plan was terug te keren.

Ze keek me aan zoals ze mijn vader altijd aankeek: vol achterdocht. Nog geen week nadat hij was weggegaan stond ik op het punt haar ook achter te laten. Mijn vader had gelijk: ik kende geen schuldgevoel, geen mededogen. Maar als hij die dan wel in ruime mate bezat, waarom was hij dan zelf weggegaan? Het was nu ieder voor zich.

'Ik wil vissen. Met René en zijn vader,' zei ik nog eens.

'Met René?' vroeg ze.

'Ja, met René,' herhaalde ik gretig.

Nu ging het goed. Ik moest doorzetten. Weg van de vissen. De aandacht verschuiven naar het genie: René.

Ze dacht langdurig na.

'Waarom in Zeeland?' vroeg ze toen.

Waarom in Zeeland? Zeeland. Daar was ook iets mee.

'Open zee,' antwoordde ik.

'Ja,' zei ze, 'open zee.' Een paar tellen staarde ze glazig voor zich uit, alsof ze uitkeek over die zee. In werkelijkheid keek ze naar de pagina met het weerbericht op teletekst. Wisselvallig, hier en daar een bui, later in de week kans op onweer.

'Maar wie komt me dan ophalen uit het ziekenhuis?'

Heel even leek ze een klein meisje op haar eerste schooldag, bang dat niemand haar zou opwachten nadat de laatste bel was gegaan.

'Ik heb Nini gevraagd om naar huis te komen.'

'Nini?' vroeg ze blij.

Nini was ingetrokken bij haar vriend in Amsterdam-West. Mam vertrouwde hem niet en had Nini niet meer gezien sinds ze uit huis was gegaan.

Uiteindelijk stemde ze in, op voorwaarde dat oom Ruz me zou afzetten bij het huis van René, zodat ze er gerust op kon zijn dat het geen rare mensen waren. Ik maakte geen bezwaar, omdat ik wist dat ik al in de bus naar Parijs zou zitten voor oom Ruz zijn knokkels tegen onze deur kon slaan.

Ik lag met mijn kleren aan in bed en staarde naar mijn lege rugtas op de grond. Buiten was het nog donker. Er was niemand thuis.

Ik kwam overeind en ontstak de gloeilamp die aan het plafond van mijn slaapkamer bungelde. Ik nam mijn rugtas van de grond en stopte er de kleren in die ik had klaargelegd op de bovenste plank van mijn kast. Een paar gestreken overhemden, twee broeken en wat ondergoed. Uit een opgerolde sok die ik in mijn bureaula had verstopt pakte ik mijn geld en stak het in mijn zak. Vervolgens klom ik op mijn bureaustoel en tastte met mijn hand boven op de kledingkast tot ik het doosje had gevonden waarnaar ik zocht. Ik opende het doosje en bekeek de glimmende, gouden ring die erin lag. Het was een simpel maar elegant sieraad dat ik bij een juwelier in de Langestraat had gekocht. Ik klom van de stoel af en stak het doosje bij de rest van mijn spullen in de rugtas.

De bus naar Parijs zou pas over een paar uur vertrekken vanaf het station, maar ik was ongerust dat oom Ruz eerder dan afgesproken voor onze deur zou staan. Hij was zo'n vrolijk type dat toch de slaap niet kon vatten en bovendien iemand die zich kon verheugen op zoiets onbenulligs als mij afzetten bij het huis van een vriend. Waarschijnlijk had hij al nagedacht over een grap die hij wilde maken tegen Renés vader. Zo'n grap waar hij zelf net zo lang en hard om zou lachen tot de tranen in zijn ogen schoten. 'Weet je waar je het beste vissen kunt vangen als het regent? Onder de brug, want daar zijn ze droog!'

Ik deed de lamp uit en liep de trap af naar de woonkamer. Mam had de boel grondig geboend voor haar vertrek. Haar witte dekentje lag netjes opgevouwen op de bank en haar leesbril lag in het raamkozijn. Verder leek alles onaangeroerd.

Sinds Kians dood was er niets aan het interieur veranderd. Het was een soort museum geworden. Zelfs de hoge servieskast, waar je met een grote boog omheen moest lopen zodat hij niet zou omvallen, stond nog altijd in de inham naast de keuken. Boven op de televisie lag een ingelijste foto van Kian, die was genomen kort voor zijn dood. Hij zat naast mijn vader op de leren bank en keek recht in de camera.

Ik liep over het kleed en nam de foto in mijn hand. Zijn blik had iets onherkenbaars, een bepaalde onverzettelijkheid die ik nooit eerder bij hem had gezien. 'In dit huis moeten we voor onszelf zorgen, jochie!'

hoorde ik hem nog zeggen. Dat was precies wat ik van nu af aan ging doen. Ik legde de lijst terug, opende de voordeur en stapte de zomernacht in.

'Mag ik naast jou zitten?' vroeg een meisje me in de bus.

Ik zat bij het raam en had mijn rugtas op de stoel naast me gelegd. De bus was nog zo goed als leeg. Buiten was het gaan regenen. Een politieauto reed stapvoets over het stationsplein.

'Nou?' vroeg het meisje ongeduldig. 'Mag het? Anders is mijn reis nu al verpest.' Ze stond met hangende schouders in het gangpad en staarde me afwachtend aan. Haar wijde zomerbroek viel slap om haar dijen en ze droeg teenslippers aan haar slanke voeten. Haar huid was rozig en gaaf. Ze moest begin twintig zijn.

'Waarom?' vroeg ik kortaf.

'Waarom ik naast jou wil zitten?' Ze schoof mijn rugtas boven op het rek en plofte neer op de stoel.

'Nee. Waarom is je reis anders verpest.'

'O,' zei ze. 'Altijd als ik alleen zit in een bus krijg ik het gevoel dat ik iets fout heb gedaan. Ken je dat?'

Ik schudde mijn hoofd.

'Wat fijn moet dat zijn,' verzuchtte ze, 'om je nergens schuldig over te voelen.'

Dat was inderdaad fijn. Toch genoot ik er niet van. Ik kende weliswaar geen schuldgevoel, maar het besef dat ik het wel zou moeten hebben knaagde aan me. Had ik nu niet bij mijn moeder in het ziekenhuis moeten zijn? En hoorde ik me geen zorgen te maken om oom Ruz, die nu ongerust aan onze voordeur stond?

De chauffeur stelde zich voor via de microfoon en riep om dat hij volgens de nieuwe Europese wetgeving elke twee uur een stop moest maken, waardoor we later dan gepland zouden aankomen in Parijs.

Het meisje heette Sylvie, vertelde ze me. Ze woonde sinds een jaar in Amsterdam, en ze noemde een plek die ik niet kende – en studeerde aan de kunstacademie. Mijn gedachten bleven hangen bij dat woord: 'kunst'. Bij ons thuis had ik dat woord alleen gehoord met betrekking tot een vriendin van mijn vader, die een mooie stem had. Elke keer als ze bij ons op visite was, vroeg hij haar om voor ons te zingen. De vrouw kende maar één liedje. Dat ging over een jager in het bos, een hert op de vlucht en de sterren van de nacht. Nadat ze het laatste couplet had beëindigd, barstte ze elke keer in snikken uit. Ik vond dat ze zich vreselijk aanstelde, maar mijn vader dacht daar anders over. 'Je bent een echte kunstenares,' riep hij terwijl hij haar een tissue aanreikte, en klapte langdurig en geëmotioneerd in zijn handen.

'Hoe is dat,' vroeg ik aan Sylvie, 'kunst studeren?'

'Het valt wel mee,' zei ze schouderophalend. 'Op de academie lopen vertrapte zielen rond met een grote mond. Daar hou ik wel van. Niemand die je vertelt dat je normaal moet doen.'

Ik dacht te begrijpen wat ze bedoelde. In het asielzoekerscentrum was het niet veel anders. Misschien voelde ik me er daarom zo op mijn gemak.

Zodra de bus op gang kwam viel Sylvie in slaap. Eerst gebruikte ze haar trui als kussen, maar algauw leunde ze met haar hoofd tegen mijn schouder en snurkte ze zachtjes in mijn nek.

Vlak na de Belgische grens reed de bus van de snelweg af voor de eerste stop.

Sylvie opende moeizaam haar ogen.

'Kom je niet mee?' vroeg ik terwijl ik me langs haar lange benen wurmde.

Ze schudde morrend haar hoofd. 'Slapen,' zei ze.

Er stonden tal van vrachtwagens en toeristenbussen op de parkeerplaats van het tankstation. Een deel van de passagiers had zich rond de chauffeur verzameld en pafte gehaast aan een sigaret, terwijl de rest van de reizigers de sanitaire voorzieningen opzocht. De zon was al doorgebroken en scheen op de autoruiten, maar de ochtendlucht voelde nog fris aan.

Ik baande me een weg door de drukke cafetaria. Mensen uit verschillende delen van Europa slurpten koffie uit plastic bekertjes. Kinderen die te lang in auto's hadden gezeten sleepten zich over de vloer, of smeekten hun ouders om snoep. Voor het damestoilet stond een lange rij mensen die niets tegen elkaar zeiden. De dag was nog te jong en Parijs was nog te ver.

Bij de ingang van het toilet vond ik wat ik zocht. Ik had nog wat Belgische muntjes bewaard van de laatste keer dat ik met mijn ouders in Antwerpen was en had die voor deze gelegenheid meegenomen. Ik gooide het kleingeld in de telefoon en draaide het nummer in Parijs. Sali wist niet dat ik naar haar onderweg was. Ze zou het te spannend hebben gevonden. Haar rebellie bestond erin dat ze nergens genoeg om gaf om haar nek ervoor uit te steken. Toch geloofde ik niet dat die desillusie oprecht was. Ook in haar leefde het verlangen om zich los te rukken van haar beklemmende omgeving. Ik moest dat besef in haar aanwakkeren door haar met mijn komst te overvallen. Eerst moest ik haar spreken zodat we iets konden afspreken.

'*Allo*?' klonk het aan de andere kant van de lijn. Het was de schelle stem van Sali's moeder. Heel even bleef ik verstijfd staan met de hoorn aan mijn oor. Als ze er lucht van kreeg dat ik onderweg was naar Parijs zou ze er alles aan doen het weerzien met Sali onmogelijk te maken. Ze eiste absolute gehoorzaamheid van haar dochter. Daarom had ik ook Sali niet verteld van mijn komst. Ik was bang dat ze het me zou hebben afgeraden. Ik gooide vlug de hoorn op de haak en maakte aanstalten om terug te lopen naar de bus.

Sylvie stond inmiddels vlak achter me. Ze had haar trui om haar schouders gelegd en had haar armen over elkaar geslagen.

'Heb jij geld voor thee?' vroeg ze slaperig.

We liepen samen naar de automaat en ik haalde een bekertje thee voor haar. Buiten bood ze me een sigaret aan. Ik stak hem tussen mijn lippen en wachtte af tot ze hem voor me aanstak. We stonden zij aan zij en keken naar de voorbijrazende auto's over de snelweg. Even later stapten we weer in, en viel ik met mijn hoofd tegen het hare in slaap.

'De Sacré-Coeur!' riep de buschauffeur in zijn microfoon. Ik opende mijn ogen en zag dat iedereen in de bus verwonderd uit het raam keek. Boven op een heuvel lag de grote, imposante kerk waar Sali me zoveel over had verteld. Het felle zomerlicht weerkaatste tegen het witte gesteente.

Ook Sylvie was inmiddels wakker. Ze keek verheugd de andere kant op.

'We zijn in Montmartre!' zei ze, wijzend naar de vele seksbioscopen en stripbars langs de weg. De bus reed een smal, oplopend straatje in en kwam aan de voet van de groene heuvel waarop de kerk gelegen was tot stilstand. Iedereen die wilde kon daar uitstappen.

Sylvie wilde eruit, dus deed ik dat ook. Ik had geen plannen voor die avond, behalve een goedkoop hotel zoeken en een telefooncel waarvandaan ik Sali kon bellen.

'Je kunt met mij mee als je wilt,' zei Sylvie nadat we waren uitgestapt. 'Mijn vrienden zitten in een band. Bezoek zijn ze wel gewend. Ze vinden het vast niet erg als jij er ook blijft logeren.' Ze hurkte en nam een elastiekje uit het voorvak van haar koffer om haar haren in een knot vast te maken.

Ik wankelde van het ene been op het andere en dacht

na over een smoes. Het was niet dat ik niet durfde. Ik voelde er alleen niet veel voor om te slapen tussen gasten met lange haren die midden in de nacht over mijn hoofd stapten om hun shag, of bier, of wat dan ook van een vies tafeltje te pakken.

'Ik heb al een hotel,' loog ik ten slotte.

Sylvie hield haar hoofd schuin en keek me vragend aan om te zien of ik op andere gedachten te brengen was.

'Wat je wil,' zei ze toen ze zag dat dat niet het geval was. 'We komen elkaar wel weer tegen, denk je ook niet?'

Ik dacht aan wat Sali had gezegd: 'In Parijs vinden mensen elkaar niet. Ze raken elkaar alleen maar kwijt.' Maar dat vertelde ik Sylvie niet. Ik knikte alleen maar.

Ze aarzelde, alsof ze nog iets wilde zeggen, maar bedacht zich op het laatste moment. Ze gaf me een zoen op mijn wang en liep met huppelende stappen de mensenmassa in. Ik bleef haar met mijn ogen volgen tot ze kleiner en kleiner werd, en uiteindelijk niet meer te onderscheiden was van het drukke avondverkeer.

Nadat ik bij een wisselkantoor mijn guldens had omgewisseld voor Franse francs, stapte ik het eerste het beste hotel in. Voor de ingang stond een donkere man met een zonnebril en een hoed. Hij keek op zijn gouden horloge en knikte naar me, alsof we een geheimzinnige afspraak hadden waarvoor ik net op tijd was. Hij duwde zich van de muur en liep tegen het lage zonlicht door de steeg.

Binnen, in de kleine foyer, waar een versleten bankstel stond waarvan de vering uit de voering was gesprongen, zaten twee luidruchtige vrouwen met korte leren rokken en gekruld haar waar vast een hele bus haarspray in was leeggespoten. Ze hielden op met praten en keken me uitnodigend aan toen ik binnenliep. Ik vermeed hun blikken en stapte op de hotelmedewerker af.

Achter de balie stond een Algerijn met kroeshaar die geen Engels sprak. Hij droeg een ivoorwit jasje dat ongepast leek in de smerige ontvangstruimte.

Een eenpersoonskamer kostte vijftig franc per nacht. Ontbijt was er niet, omdat het dak van de daarvoor bestemde ruimte werd geteisterd door lekkage. Mijn kamer lag op de zesde verdieping. Er was geen lift, en de deur van de kamer was ingetrapt, waardoor hij niet meer op slot kon. Het maakte mij niet uit. Ik zou toch niet veel in het hotel zijn, en de prijs was heel gunstig. Ik ging akkoord en betaalde een week vooruit.

In de kamer was een raampje dat uitkeek op een verwaarloosde, treurig uitziende binnenplaats. Daarachter was de stad zichtbaar: statige oude gebouwen bedekt onder een dikke laag stof. Er hing een bedwelmende drukte in de lucht, die zelfs van een afstand voelbaar was. De zon scheen door het open raam en verwarmde mijn gezicht. Het was 21 juni, de langste dag van het jaar.

Ik haalde de dubbelgevouwen stapel papiergeld uit mijn zak en liet de hoekjes tussen mijn duim en wijsvinger glijden, zoals mijn vader ook altijd zijn geld telde. Het waren mooie, grote briefjes die goed aan de hand voelden.

Ik had nog veertienhonderd franc over. Het was niet genoeg om me permanent in Parijs te vestigen. Ik moest een baan zien te vinden. Iets simpels, afwasser misschien: als ik maar niet terug naar Amersfoort hoefde te gaan.

Op de gang was het een komen en gaan van luidruchtige dames en dronken mannen. Lieflijke woorden, zoals mensen die uitspreken tegen een pruilerige kat die maar niet van het dak wil komen, werden afgewisseld met scheldpartijen, verwensingen en dreigementen. Ik nam mijn rugtas van het bed en liep de trappen af.

Eenmaal buiten besloot ik de opvouwbare kaart die ik van de balie had gepakt weer op te bergen en op goed geluk de drukte op te zoeken.

Het avondverkeer in Montmartre was in volle gang. Onder de brug, bij het metrostation, stond een bende straathandelaren die nepgouden armbanden en kettingen aan me probeerden te hangen tijdens het oversteken.

'24 karaats! Tweehonderd franc. Het staat je geweldig! Honderd franc! Oké, jij bent mijn vriend: tien franc! Geef me ten minste een sigaret! Idioot!' Een automobilist reed me bijna van mijn sokken omdat ik in mijn haast door rood liep. Hij opende zijn raam en schold me de huid vol terwijl hij voorbijreed.

Bij een Tabac-winkel aan de Rue de Clichy kocht ik een telefoonkaart. Ik stapte de eerstvolgende telefooncel in en belde weer. Er werd vrijwel direct opgenomen.

'*Allo?*'

Het was wederom haar moeder die als een naald door mijn zenuwen drong. Het was donderdagavond – waarom was ze niet op haar werk? Ik hield de telefoon nog even vast in de hoop Sali's stem op de achtergrond te horen, zodat ik tenminste wist of ze thuis was.

'*C'est qui?*' vroeg de moeder geïrriteerd. Ik hing op. Het was zeven uur. Ik kon het later weer proberen.

Ik sloeg een rustige zijstraat in waar geen auto's reden. Aan beide zijden van de smalle straat stonden kraampjes waar je sjaals en souvenirs kon kopen. De toeristen leken niet genoeg te kunnen krijgen van de sleutelhangers en ansichtkaarten van de bezienswaardigheden. Men scheen meer aandacht te hebben voor de afbeeldingen van de Sacré-Coeur dan voor het ding zelf, dat als een onvermurwbare waarheid boven op de berg lag.

Een klein stukje verder zag ik een slordig geklede oude man met een muts achter een tafeltje staan. Voor hem lagen drie zwarte bekertjes op hun kop en onder een van die bekers lag een zilveren balletje. De man sleepte de bekers met vlugge handbewegingen heen en weer over het tafelblad, en onthulde tussendoor steeds het balletje, om aan te tonen dat het niet was verdwenen. Tegenover hem stonden twee lugubere types in trainingsjacks. Ze hadden ieder een brandende sigaret in hun mondhoek, en een dik stapeltje briefjes van vijftig in hun hand. Ze volgden nauwlettend de verrichtingen van de oude man. Zodra hij klaar was met zijn gegoochel haastten ze zich om geld in te zetten en aan te wijzen waar het balletje lag.

Het spel verwonderde me, en aangezien ik toch niets te doen had besloot ik er op af te stappen om het beter te kunnen volgen.

Er was een discussie ontstaan tussen de twee mannen in trainingsjacks, die verdacht veel op elkaar leken. Ze hadden allebei een lang, smal gezicht, cynische gelaatstrekken en scheve tanden. Na wat heen-en-weergeduw en -getrek mocht een van hen aanwijzen waar het balletje lag. Hij mopperde nog wat na en wees de beker aan die links van hem op het groene tafellaken stond. Het bleek de juiste. Gelaten overhandigde de oude man hem twee briefjes van vijftig franc en begon opnieuw.

Deze keer probeerde ik me op de oude man te concentreren. Hij maakte veel drukte om de aandacht af te leiden, maar hij was de snelste niet meer. De bewegingen van zijn gerimpelde handen waren voorspelbaar, en niet moeilijk bij te houden. De twee mannen tegenover hem wonnen dan ook opvallend vaak. Toch bleef hij onverzettelijk volhouden. Ik kreeg bijna met hem te doen. Misschien lag zijn vrouw in het ziekenhuis, en probeerde hij op deze manier geld voor de operatie te vergaren. In dat geval konden de dokters haar maar beter doodverklaren, want hij zou al zijn geld vandaag verspelen. Je hoefde geen boekhouder te zijn om hem dat te kunnen vertellen.

Nadat ik het schouwspel een paar minuten had gevolgd, haalde ik een briefje van de stapel uit mijn zak en gebaarde ik dat ik wilde meespelen. Het leek zo kinderlijk eenvoudig dat ik wel gek moest zijn om er niet van te profiteren. Bovendien, als ik het niet deed dan zouden de twee slinkse mannen naast me hem toch wel kaalplukken.

'*Bien sur!*' zei de oude man opgewekt, en maakte een uitnodigend gebaar. Ik ging dichter bij de tafel staan en volgde zijn inmiddels bekende handelingen. Toen hij klaar was wees ik hem vol overtuiging aan waar het balletje lag. Met een grote grijns lichtte hij het bekertje op. Er lag niets onder. '*Dommage!*' zei hij geacteerd, en stak mijn geld in zijn zak. '*Encore?*'

Ik deed een stap achteruit om nog eens vanaf de zijlijn toe te kijken. Had ik iets over het hoofd gezien? Ik probeerde te bedenken op welk bekertje ik mijn geld zou hebben ingezet als ik ditmaal had meegedaan. De man naast me wees hetzelfde bekertje aan als ik in gedachten had en won. Zijn zakken puilden uit van alle briefjes van vijftig. Hij moest al tig duizend franc hebben gewonnen.

De oude man zei dat ik het een keer gratis mocht proberen. Nu ik geen geld had ingezet, wist ik wel aan te wijzen waar het balletje lag. Hij maakte aanstalten om me het geld te overhandigen, maar herinnerde zich op het laatste moment dat ik niet om het echie had gespeeld. 'Zonde! Anders had je honderd franc gewonnen.' Hij stak zijn geld weer in zijn zak.

Enigszins geïrriteerd door zijn slechte acteerwerk en zijn onterechte overtuiging dat ik niet van hem kon winnen, besloot ik het nog een keer te proberen. Deze keer hield ik hem nog beter in de gaten en wist ik zeker dat ik me niet vergiste toen ik hem mijn keus kenbaar maakte. De oude man lichtte het bekertje op dat ik hem aanwees. Weer lag er niets onder.

Binnen tien minuten verspeelde ik bijna zeshonderd franc, en in de hoop een deel daarvan terug te winnen verspeelde ik nog eens vierhonderd franc. Mijn kapitaal slonk met de minuut. Het geld dat ik met zo veel moeite bij elkaar had gesprokkeld was in rook opgegaan!

Radeloos en blut liep ik weg bij de tafel. Onder de brug keerde ik me nog een keer om en bekeek de drie mannen. Ze sloegen elkaar op de schouders en verdeelden het geld dat ze me afhandig hadden gemaakt. Ik kon me wel voor mijn kop slaan. Ik was opgelicht als een achtjarige.

De cafés en restaurants waren inmiddels gevuld met mannen in pak die rookten en vrouwen die hun benen elegant over elkaar hadden geslagen of zich excuseerden om naar het toilet te gaan. Jongens van mijn leeftijd droegen allemaal trainingsjacks en sportschoenen, en het leek de mode te zijn om zijwaarts over obstakels te springen in plaats van eromheen te lopen.

Voor de etalage van een gesloten boekwinkel hield ik mijn pas in en bekeek ik mijn reflectie in het raam. Ik droeg een blauw overhemd en een donkere broek met pijpen die smal toeliepen bij de enkels.

Mijn haar had ik met veel gel steil naar achteren gekamd. Ik zag eruit als een jonge bankier, vond ik zelf. Alleen mijn rugtas deed me er jonger uitzien dan ik wilde. Het was een typische scholierentas waar de afdruk van boeken nog in te herkennen was. Als mijn hotelkamer op slot had gekund, hoefde ik hem niet mee te nemen. Nu vond ik het te riskant om hem daar achter te laten. De ring had me een vermogen gekost, en ik mocht hem onder geen beding verliezen.

Een vrouw aan wie ik de weg wilde vragen versnelde haar pas en liep met een hupje aan me voorbij.

Een tijdje later herkende ik de magische Arc de Triomphe aan het einde van de brede weg. Daarachter was de Champs-Élysées zichtbaar. Autobanden rolden gedempt over de brede weg, die aan weerszijden werd omgeven door grote, rijkelijk versierde winkels en restaurants. De lichtversieringen knipperden langzaam aan, evenals de fonkelende straatverlichting. Net als onze visitekamer in Teheran lichtte ook deze stad alleen op als er bezoek was, zo stelde ik me voor.

Bij een duur uitziend restaurant hield ik mijn pas in en keek door het raam naar binnen. De gasten waren gekleed in kostuums en avondjurken en leken zich opmerkelijk weinig aan te trekken van de grote schalen kreeft, oesters en garnalen die voor hen op tafel lagen. Waarschijnlijk kwamen ze van de opera, of het theater en vertelden ze elkaar nu over een voorstelling die ze allemaal al hadden gezien. Strontsaai moest dat zijn.

De kristallen kroonluchters hingen laag boven de tafels. Aan de wand hingen schilderijen van landschappen in sierlijke, donkere lijsten. Om het gezelschap heen stonden obers met dienbladen in hun hand, klaar om de lege champagneglazen te verversen. Zelfs de obers hadden een zelfingenomen uitdrukking op hun gezichten. Ze dienden de schalen op alsof er een enorme stanklucht vanaf sloeg. Kennelijk was dat de deftige manier om het te doen.

Het terras, dat door een groene heg werd afgesloten van de straat, zag er toegankelijker uit. De tafels waren bescheiden en de gasten leken wat soepeler in hun kleren te passen. Ik streek mijn hand door mijn haar, trok de kraag van mijn overhemd recht en liep het terras op.

'Bent u alleen?' vroeg een attente ober met een eigenwijze, Franse neus, die achter een tafeltje bij de ingang stond.

'*Oui*,' antwoordde ik zelfverzekerd.

Hij zwaaide naar een serveerster die net naar buiten liep.

'Janette, één persoon!' riep hij druk gebarend. 'Daar, bij het gangpad.'

Het meisje stapte kordaat op me af. Ze droeg een

wit overhemd met een rode strik en had haar blonde haar in een staartje.

'Volgt u mij maar,' zei ze, en begeleidde me naar de tafel. Ik schoof mijn rugtas zo onopvallend mogelijk onder de stoel.

Als de toegang tot het restaurant me was geweigerd had ik er ongetwijfeld een punt van gemaakt. Maar nu Janette met pen en notitieblok in de aanslag de wijnkaart voor me opende, kon ik niets anders doen dan concluderen dat ze wel gek moest zijn om me te bedienen. Ik was veertien. Geloofde ze echt dat ik me een dergelijke weelderigheid kon veroorloven? Wettelijk gezien was het zelfs verboden om me alcohol te schenken; ik kon haar aanklagen als ik dat zou willen. Maar dat wilde ik niet.

Gevleid door het idee dat ze me voor ouder en rijker aanzag dan ik was, bladerde ik door de wijnkaart alsof ik op zoek was naar een fles die ik vaker had besteld. Janette bleef geduldig wachten tot ik mijn keuze had gemaakt. Ik bestelde een fles rode wijn van tweehonderd franc. Het was niet de goedkoopste, maar ook niet de meest exclusieve. Discretie betekende alles in deze kringen, stelde ik me voor. Natuurlijk had ik ook de chardonnay uit 1984 kunnen kiezen, maar dat soort aandachttrekkerij was niet aan mij besteed.

Janette leek zich te kunnen vinden in mijn keuze. Ze bracht de fles en schonk uit de losse pols een bodempje wijn in mijn glas. Nadat ik een kleine slok had genomen, en de substantie was ingetrokken op mijn tong, knikte ik dat het naar wens was. Ze schonk het glas tot de helft vol en liet de fles op tafel staan.

Ik vroeg haar naar de specialiteit van het huis.

'*Notre spécialité?*' vroeg ze dienstbaar.

'*Oui, votre spécialité?*'

Ze noemde een heleboel Franse gerechten op die ik niet kende. Dat lag niet zozeer aan haar als wel aan mijn culinaire woordenschat. Alleen als ze kip of koe had gezegd had ik het verstaan. Ik nam aan dat ze me een driegangenmenu voorstelde en zei dat ik dat wel wilde.

'*Tout?*' vroeg ze verbaasd.

Wat een vraag! Ze dacht toch niet dat ik helemaal naar de Champs-Élysées was gekomen voor maar één gang? Als je de Mount Everest beklom, dan bleef je toch ook niet hangen in een herberg op een hoogte van honderd meter?

'*Bien sur!*' antwoordde ik beledigd. '*Tout!*'

Het duurde niet lang of het voorgerecht werd gebracht. Carpacciosalade, krab in roomsaus, en drie kleine ansjovissen die alle ter versiering met hun hoofd in een doperwt waren geduwd. Ze deden me denken aan de visjes die ik met oom Ruz had gevangen in de eendenvijver bij de kerk. Ik stopte een visje in mijn mond en nam een slok van de wijn.

Arme oom Ruz, dacht ik. Ik zag voor me hoe kalm hij aan onze deur had staan wachten deze ochtend. Misschien had hij inmiddels de politie gebeld en me als vermist opgegeven. Ze zouden vast ongerust zijn.

Op een dag zou ik iets van me laten horen, zodat ze wisten dat me niets mankeerde, en dat ik het naar mijn zin had. Misschien een foto van mij en Sali erbij, ergens in Zuid-Frankrijk, waar het warm was en de zorgen ons niet konden vinden.

Ineens dacht ik aan Wise. Ik vond het spijtig dat hij niet mee was. Hij zou zich ongetwijfeld hebben vermaakt met al die hoogdravende Fransen om zich heen. Hij vond mensen die zichzelf serieus namen bijzonder lollig. Daarom alleen al mocht ik hem zo graag, en miste ik hem op dat moment. Dat had ik altijd als ik alleen op stap was: dan ging ik mensen missen. Het leek altijd alsof een deel van me elders was, waardoor ik nooit 'echt' ergens kon zijn. Het zou praktischer zijn geweest als ik Janette had gemist, want zij stond om de haverklap aan mijn tafel om de wijn bij te schenken en te vragen of alles naar wens was.

Na het uitgebreide voorgerecht werden, onder begeleiding van zachte pianomuziek, de hoofdgerechten geserveerd. Tonijnfilet met wasabi, gamba's in een saus die ik niet kon thuisbrengen, en ossenhaas. De Franse keuken verwonderde me. Vlees en vis? Dat was toch niet chic? Ik besloot er niets van te zeggen. Ik nam mijn mes en vork ter hand en begon zonder morren aan de gerechten die op tafel waren uitgestald.

Het hield echter maar niet op. Het leek erop dat ik een lopend buffet had besteld. Janette bleef het ene na het andere delicate gerecht voor me opdienen, en toen ze na het dessert opperde om ook de zoete wijn met huisgemaakte truffels te proberen, kon ik ook die niet weigeren.

Pas toen het echt klaar was, en ik voldaan in mijn kopje koffie roerde, dacht ik na over de rekening die me te wachten stond. Die moest om en nabij de tweeduizend franc bedragen. Van dat geld kon mijn moeder vierhonderd kilo kip kopen. Daar kon je een heel asielzoekerscentrum een maand lang van voeden. Het zweet brak me uit bij de gedachte aan zo veel kip. Ik hoorde alleen nog maar gekakel om me heen. Een vrouw sloeg haar wijnglas om. Een man met gele tanden sloeg met zijn hand op tafel en begon hardop te lachen. Janette liep koortsig naar buiten om de glasscherven op te vegen.

Er was maar één uitgang, en die werd streng bewaakt door de attente ober. Hij zat met een zelfingenomen houding op het puntje van zijn hoge kruk en keek met schichtige, wantrouwende ogen om zich heen; als een muzikant die zojuist is beroofd van zijn strijkinstrument en vastberaden naar de dader zoekt.

Een luidruchtig, Amerikaans koppel liep het terras op. De attente ober glimlachte geforceerd en toonde hun de kaart. Het stelletje wilde binnen zitten, in het deel dat was gereserveerd voor de operamensen. Hij legde ze uit dat dat niet mogelijk was, maar daar nam het echtpaar geen genoegen mee; ze hadden hun zinnen gezet op een specifieke tafel en het leek er niet op dat ze van dat plan wilden afwijken.

'Afrekenen!' gebaarde ik toen ik Janette voorbij zag lopen. Ze knikte en liep naar binnen om de rekening te printen. Ik kwam vlug overeind, pakte mijn rugtas van de grond en liep nonchalant het terras af. De attente ober keek me vertwijfeld aan, maar werd algauw weer afgeleid door de Amerikanen, die hem beschuldigend toespraken.

'*Au revoir*,' zei ik zwaaiend met mijn portemonnee.

Nadat ik de hoek om was zag ik dat hij van zijn kruk kwam en gehaast naar binnen stapte. Ik wurmde me door de mensenmassa op de Champs-Élysées en zette het op een rennen: langs de grote Disney-winkel, de vele bioscopen en de muziekwinkel van vijf verdiepingen waar een oorverdovende herrie uit klonk. Ik botste tegen een vrouw op die een kop koffie in haar hand hield. Ik hielp haar vlug overeind, hoorde haar scheldkanonnade aan en holde door. Ik keek steeds hijgend achterom om te zien of ik werd achtervolgd, maar ik zag niets anders dan hordes mensen met winkeltassen, en talloze auto's die hun koplampen ontstoken hadden. Bij het Franklin D. Roosevelt stormde ik de trappen af naar de metrohalte, stak ondergronds het plein over, en kwam aan de andere kant met de roltrappen weer naar boven. Mijn hart ging als een razende tekeer. Ik sloeg een zijstraat in en rende weer verder.

Pas toen ik de drukte uit was en zeker wist dat niemand me achtervolgde, hield ik op met rennen. Ik stond voor een groot gebouw, op een weids stuk Parijs waar haast geen voetgangers meer waren. Het avondverkeer rolde in een grote cirkel om me heen. Ik was duizelig en misselijk van al het eten en de drank. Een paar minuten leunde ik voorover en hapte ik naar adem.

Nadat mijn hartslag weer tot een veilig toerental was gedaald en het geluid van optrekkende auto's was weggeëbd, hoorde ik een zacht, kabbelend geluid vanaf de andere kant van de weg; iets wat zachtjes in mijn oren fluisterde. Ik liep over het zebrapad en keek uit over de Seine. Alle lichten van de stad reflecteerden op het prachtige, groene water, dat de geur had van een lijk dat er levend uit was geklommen.

Ik daalde de trappen af en liep langs de rivier. Onder een lage brug lagen een paar daklozen te slapen. Een van hen hield een wijnfles in zijn hand en neuriede verveeld een kinderlied. Alsof een lastig, volhoudend ventje hem muntjes had toegeworpen om dat te doen. Hij riep me wat na.

Ik versnelde mijn pas en liep hen voorbij tot ik een stukje verderop een bankje vond. Ik ging zitten aan het water en tastte in mijn rugtas naar het sieradendoosje. Ik opende het en bekeek de ring nog eens goed: 18 karaats goud, dat net zo fel glom als de verlichte Eiffeltoren. Morgen zou ik Sali ten huwelijk vragen. De ring zou soepel om haar slanke vinger glijden. Dan zou het leven echt beginnen.

Ik stopte het doosje terug in de tas, liep de trappen op en wandelde een verlaten woonwijk in.

‘*C’est qui?*’ Haar stem klonk aarzelend en zacht. Ik leunde met mijn hoofd tegen het koude glas en staarde naar buiten. In de verte zag ik de Eiffeltoren branden: miljoenen lampen die om het ijzer waren gewikkeld vormden een gouden gloed die hoog boven de stad uit steeg.

‘Ik ben het,’ fluisterde ik kalm. Heel even was ze stil.

‘Weet je wel hoe laat het is?’ vroeg ze toen bozig.

Er vloog een vliegtuig voorbij. De lichten knipperden aan en uit tussen de sterren.

‘Is het al laat?’

‘Heel laat!’ Ze zuchtte. ‘Ik heb je vanmiddag gebeld. Waar was je?’ Soms, als ze verdrietig was, belde ze me. Meestal ’s middags, wanneer ik nooit thuis was. Later vroeg ze me altijd waar ik was geweest. Alsof ze op andere tijden wel wist waar ik was of wat ik deed.

‘Met wie ben je aan het praten, Sali?’ hoorde ik haar moeder vragen.

‘*Une minute!*’ antwoordde Sali. En toen, tegen mij: ‘Waarom hing je op? Mijn moeder heeft nu een nog grotere hekel aan je.’

‘Je moeder is niet goed bij haar hoofd.’

‘Ik weet het,’ zei ze onverschillig. Ze aarzelde. ‘Ik moet je iets vertellen. Maar niet nu. Kun je me morgen bellen?’

‘Ik ben in Parijs!’ overviel ik haar. Ik hoorde haar ademhaling stokken. Een paar tellen zei ze niets.

‘Wát?’ vroeg ze toen.

‘Ik zeg dat ik hier ben, in Parijs.’ Weer viel ze stil.

'*N'importe quoi!* Ik geloof er niets van! Waar slaap je?'

'Ik heb een hotel in Montmartre, tussen de hoeren. Wanneer kan ik je zien?'

'*Tu es fous!*' grinnikte ze. '*Vraiment! Tu es fous!*'

Het leek alsof ze zich plotseling iets herinnerde. Iets naars. Iets wat ze zich niet wilde herinneren. '*Merde!* Je had niet moeten komen!'

'Hoe bedoel je?' vroeg ik aangedaan. 'Wil je me dan niet zien?'

'Natuurlijk wel. Maar...' Ze maakte haar zin niet af.

'Morgen,' fluisterde ze, 'laten we morgen afspreken. Bij de Sacré-Coeur. Om negen uur.'

'Sali!' riep haar moeder streng.

Ze wachtte mijn antwoord niet af en hing op. Wat mij restte was een irritante piep. Ze had zo ernstig geklonken. Wat wilde ze me vertellen? Ik voelde me een dom visje in een kom die lekt. Ik hing op en begon ontgoocheld aan mijn lange wandeling richting het hotel.

Het was al ver na middernacht toen ik met een hoofd vol wijn terugkeerde in het hotel. De Algerijn sliep onderuitgezakt op zijn stoel achter de met tl-lampen verlichte lobby. De bovenste knopen van zijn overhemd waren open. Daaroverheen droeg hij hetzelfde witte colbert dat hij 's middags ook aan had gehad. Voor hem stond een fles met een groene substantie erin waar iets van gedronken was.

De dames in korte rokken waren vertrokken. In het pand was geen gekibbel of geschreeuw meer te horen. Alleen de kleine ventilator op de balie blies onverstoorbaar koude lucht de ontvangstruimte in.

Ik liep hem stilletjes voorbij en opende de krakende deur naar het trappenhuis. Plotseling schoot de Algerijn als een vuurpijl uit zijn stoel.

'*Monsieur!*' riep hij in paniek, terwijl hij rap op me af liep. 'Ik had u niet meer verwacht.' Hij hield de deur tegen met zijn voet en belette me de doorgang. 'Er is een klein probleem. Komt u alstublieft met mij mee.'

Hij greep me stevig bij mijn bovenarm en manoeuvreerde me met enige dwang naar zijn bureau.

Ik verbleekte door de onverwachte sommering. Was ik gesnapt? Vanwege het incident in het restaurant, als je het zo kon noemen? Of was er een opsporingsverzoek uit Nederland? De moed zonk me in de schoenen. Heel even overwoog ik me los te rukken om op de vlucht te slaan voor het te laat was. Maar de Algerijn hield mijn arm stevig vast en liep vlak achter me aan zodat ik niet aan hem kon ontkomen. Ik liet me schaapachtig naar de slachtbank leiden in afwachting van het vonnis.

'Gaat u zitten,' zei hij ingetogen, en wees me zijn stoel aan. Zelf bleef hij staan. Hij nam twee glazen onder de toonbank vandaan en schonk ze gul vol.

'Neem hier een slok van,' zei hij bemoedigend, 'het zal je goeddoen.'

Nu maakte ik me nog meer zorgen. Er was iets flink mis. Maar wat? Misschien mijn moeder, de operatie. Ik zou het mezelf nooit vergeven als haar iets was overkomen.

'Wat is er?' vroeg ik de Algerijn weemoedig, terwijl ik nog dieper in mijn stoel zakte.

'Drink op,' zei hij, 'slecht nieuws moet men dronken aanhoren.' Hij tikte zijn glas tegen het mijne en dronk het in één teug leeg. Als hetgeen hij me wilde vertellen zo ernstig was als ik vermoedde, had ik inderdaad niets meer te verliezen. Ik volgde zijn voorbeeld en sloeg mijn glas achterover. Het brouwsel smaakte mierzoet en droop moeizaam door mijn keelholte. Ik voelde mijn gezichtsspieren samentrekken en alle vocht uit mijn huid wegvloeien; alsof een woestijnstorm tegen mijn gelaat sloeg. De alcohol viel als dynamiet op mijn maag.

De Algerijn klakte met zijn tong.

'Ik heb me laten omkopen,' zei hij zonder inleiding. Hij stond met zijn rug naar me toe en staarde voor zich uit.

Mijn maag kolkte en ik voelde een duizelingwekkende kracht naar mijn hoofd stijgen. Ik dacht dat ik moest overgeven. Ik probeerde overeind te komen om naar buiten te rennen, maar mijn lichaam bewoog niet mee; het leek alsof ik was vastgelijmd aan de stoel.

'Ik heb me laten omkopen,' herhaalde de Algerijn hoofdschuddend, en vulde de beide glazen weer.

Ik gebaarde angstig dat ik niets meer wilde drinken.

Nog een slok van dat spul en ik zou ontploffen. Ik zag troebel, en had geen gevoel meer in mijn gezicht.

'Je hebt het nodig,' drong hij aan, 'anders kom je de nacht niet door.' Hij zat er verslagen bij, als een ontslagen podiumkunstenaar.

'Vertel me wat er aan de hand is,' stamelde ik zwakjes.

Hij greep een kruk en ging er met hangende schouders op zitten.

'Ik heb me laten omkopen,' zei hij weer. Dat had hij nu zo vaak herhaald dat het me zelfs in deze toestand niet kon zijn ontgaan. Maar wat bedoelde hij ermee? Door wie had hij zich laten omkopen? Wat waren de gevolgen van zijn verraad? Dat vroeg ik hem.

'Ik ken ze niet persoonlijk,' antwoordde hij droog. 'Ze boden me geld aan. Ik weigerde. Toen boden ze me nog meer geld aan. De verleidingen van deze wereld...' Hij zuchtte en staarde glazig naar de grond. Het effect van het drankje was ook aan hem goed te merken: hij zweette en had diepe wallen onder zijn donkere ogen. 'Geloof me,' vervolgde hij ernstig. 'Ik zal geen oog dichtdoen vannacht!' Hij wees naar de fles, die nog beangstigend vol was.

Ik begreep niet waar hij het over had.

'De politie?' vroeg ik. 'Is de politie hier geweest?' Ik wilde dat er een schuifluik onder mijn voeten openging zodat ik erin kon verdwijnen. Ik had iedereen teleurgesteld, en nu had de tragedie zich voltrokken. Het was onomkeerbaar. Ik zou Sali nooit meer zien.

Ze zouden me afvoeren als een wild beest.

'Nee, nee, nee!' wuifde de Algerijn gehaast. 'Geen politie!' Hij sloeg zijn glas met een vies gezicht achterover.

'Wie heeft je dan omgekocht?' vroeg ik. Mijn stem klonk oorverdovend luid, alsof ik het hele hotel ermee kon wekken.

'De mensen die nu in jouw kamer liggen te wippen,' zei de Algerijn beschaamd, en keek me guitig aan.

Langzaam drong tot me door wat hij me probeerde duidelijk te maken. Ik werd helemaal niet gezocht. Het ging om hem! Hij had mijn kamer aan andere mensen verhuurd en me vervolgens dronken gevoerd zodat ik geen stennis zou schoppen. Ik was wederom opgelicht, en deze keer werd het me te veel. Woede en schaamte vochten in mijn binnenste om voorrang. De Algerijn zag mijn gezichtsuitdrukking veranderen en leunde angstig achterover.

'*Je suis désolé!*' zei hij. 'Ik had het niet moeten doen! Vanaf morgen kun je hier weer terecht, ik beloof het.' Hij greep gejaagd naar de fles om de glazen weer vol te schenken.

Ik voelde een haat in me opkomen zoals ik die nog nooit eerder had gevoeld. Hij was de personificatie van het kwaad, van alles wat niet deugde aan deze wereld; een harteloze charlatan, een slang, een onmens! De woede over alles wat me in mijn hele leven was overkomen steeg naar mijn hoofd en richtte zich als een onbedwingbare kracht op de man die tegenover me zat. Er bestond nog maar één gedachte en die nam bezit van mijn hele lichaam: de Algerijn moest dood! Hij mocht het daglicht niet meer zien! Dat was de enige, de laatste legitieme oplossing voor alles.

Ik sprong als een kat van mijn stoel en greep naar zijn keel. Hij viel hard achterover op de vloer. Zijn hoofd maakte een luide smak en zijn ogen rolden, maar ik liet hem niet los. Met al mijn drift, al mijn onvrede en al mijn angst voor wat de toekomst me brengen zou klemde ik me vast aan zijn hals.

Hij piepte en kermde, en begon te stuiptrekken. Hij probeerde om hulp te schreeuwen, maar ik drukte zijn luchtwegen nog steviger aan, zodat er geen puf meer uit zijn mond klonk. Zijn walgelijke kop werd paars. Zijn ogen puilden uit. Ik duwde nog steviger aan, en keek toe hoe het leven uit zijn ogen wegsijpelde. Pas toen ik de dood in zijn blik herkende, en die afstotelijke tong waarmee hij zo-even nog had geklakt als een plak ham uit zijn mond hing, liet ik hem los en kwam overeind.

Hij probeerde te ademen, maar kreeg geen lucht. Hij rolde zich op zijn buik en begon te proesten als een kat die een haarbal heeft ingeslikt.

Een paar tellen keek ik op hem neer. Ik voelde niets dan medelijden met hem. Zijn plek op deze wereld was daar waar hij nu lag. Ik stapte over hem heen, opende de voordeur en stapte het hotel uit.

De lucht was afgekoeld. Parijs sliep als een kind op valium. De kleine Franse auto's waren nonchalant voor de portiekwoningen geparkeerd. Mijn voetstappen klonken ritmisch en kordaat; ik marcheerde als een soldaat die terugkwam van een lange oorlog door de verlaten straten van Parijs. Toen ik de hoek om was zag ik de Sacré-Coeur in de verte verschijnen. Ik baande me een weg naar de trap en begon aan de lange klim naar boven. Bij elke tree die ik nam leek er iemand van me af te glijden. Mensen die ik altijd met handen en klauwen bij me had proberen te houden vielen nu als hoofdluis van me af.

Mijn vader was in San Francisco, waar het nu dag was. Mam lag onder narcose in het ziekenhuis. Nini reed rond met haar criminele vriend in de achterbuurten van Amsterdam. En mijn broer lag nog altijd morsdood in een kist. Ook hem miste ik niet. Ik voelde me niet schuldig, ten opzichte van niemand. Ik beklom de treden alsof mijn leven ervan afhing.

Toen ik eenmaal boven was, schemerde het al. Ik ging zitten op de trap en keek uit over de stad die nog onder wollige dekens lag. In de verte zag ik het op gang komende verkeer. Het was het uur van de bakker, de krantenbezorger, de nachtzuster, de laatste taxirit voor de ochtenddienst begon. Op het gesuis van de wind na was het volledig stil op de heuvel. Ik voelde mijn oogleden zwaar worden, maar verzette me tegen de slaap. Ik wilde de zon zien klimmen. Het zou niet lang meer duren. De metro's zouden gaan rijden. Dan zou ze snel bij me zijn. Ik leunde met mijn hoofd tegen het muurtje en dommelde langzaam in.

Ik werd gewekt door een schouder die zachtjes tegen de mijne duwde. Om me heen klonken stemmen die ik niet kende, woorden die ik niet verstond. Sali zat naast me op de trap en keek me met haar grote bruine ogen aan.

'Je zag er zo gelukkig uit,' zei ze glimlachend. 'Was je aan het dromen?'

Ze droeg een rode wollen trui die mooi kleurde bij de rouge die ze op haar wangen had. Haar huid was bleekjes als altijd.

'Ik kan nog steeds niet geloven dat je hier bent,' zei ze, en leunde tegen me aan. 'Hoe lang blijf je?'

'Voor altijd,' zei ik.

'Jezus, wat lang,' zei ze peinzend.

Ik kwam overeind en knielde voor haar op de trap.

'Sali, wil je met me trouwen?' vroeg ik plechtig.

Ze lachte. 'Je hebt nog slaap in je ogen, Sam.'

Ik wreef mijn ogen uit, trok de kraag van mijn gekreukelde overhemd recht, en vroeg haar nog eens ten huwelijk.

'Ik wil wel,' zei ze plagerig, 'maar zonder ring weet ik niet goed waar ik ja tegen zeg.'

Dat was waar ook. Ik pakte mijn rugtas van de trap en zocht naar het sieradendoosje. Ik opende het en onthulde haar de gouden trouwring.

De glimlach verdween van Sali's gezicht.

'Is die echt?' vroeg ze verbijsterd. Ik knikte. Ze schudde aangedaan haar hoofd.

'Ik zal met je trouwen,' zei ze. 'Maar kom nu overeind. Iedereen kijkt naar ons.'

Ik stak de ring om haar vinger. Een Chinees uitziende man met een fotocamera liep vlug op ons af om een kiekje van ons te maken. Hij knikte nederig en liep weg om van een afstandje nog een foto te maken terwijl ik haar op de lippen zoende.

'Je bent niet goed wijs,' zei Sali, terwijl ze haar hand strekte om de ring aan haar slanke vinger te bekijken. 'Hoe kom je eraan?'

'Dat is niet belangrijk,' antwoordde ik, en ik ging weer naast haar zitten op de trap.

'Natuurlijk is het wel belangrijk, Sam! Hoe kom je aan dat geld?'

'Zullen we het alsjeblieft niet over geld hebben?' Ik had nog precies twintig franc op zak. Daar konden we een oude baguette van kopen. Voor een pasgetrouwd stel was dat niet veel.

'Ik heb op de radio gehoord dat de eerste minuten na het huwelijk het gelukkigst zijn,' zei ze.

'Die eerste minuten zijn geloof ik al verstreken.' Ik sloeg mijn arm om haar heen en trok haar naar me toe.

'Dus vanaf nu gaat het alleen maar bergafwaarts?'

'Ja.'

'Wat fijn om jouw vrouw te zijn.' Ze drukte haar hoofd tegen mijn borst. We keken samen uit over de stad die al op volle toeren draaide. De zon was doorgebroken en scheen als een bonk spieren boven de daken.

'Waarom zei je aan de telefoon dat ik niet had moeten komen?' vroeg ik haar even later. Ze kroop van mijn schoot en staarde met samengeknepen ogen voor zich uit, alsof het antwoord ergens in de verte gezocht moest worden.

'Vanavond vertrekken we naar Iran,' zei ze somber. 'We blijven er de hele zomer.'

'Hoe bedoel je?' vroeg ik verbouwereerd. 'Waarom weet ik daar niets van?'

'Ik wist toch niet dat je zou komen?' reageerde ze geschrokken. 'En al had ik het wel geweten, wat had ik moeten doen? Mijn moeder heeft alles al lang voorbereid.'

'Sali, je moeder is gestoord!'

'Dat hoef je mij niet te vertellen!' reageerde ze fel.

Ze keerde haar rug naar me toe, als een klein en gekwetst meisje. Ik kwam overeind en ging weer tegenover haar zitten.

'Sali, je hoeft niet met haar mee te gaan,' sprak ik haar toe. Eens moest de gedachte aan ontsnapping ook in haar hoofd opdoemen: het besef dat er iets te kiezen viel, dat overgave aan het lot niet iets prijzenswaardigs was, wat haar moeder ook zei.

Ze keek bedroefd naar de grond. Ze had een zekere schaamte in haar blik.

'Vanaf volgend jaar ga ik naar een kostschool.' Ze

keek me aan en haalde vreugdeloos haar schouders op. 'Het is vlak buiten Parijs. Ze zijn daar behoorlijk streng, geloof ik. Maar ik kan tenminste uit huis. Ben je niet blij voor me?'

De klok sloeg elf keer. Het geluid gonsde vanaf de heuvel en daalde neer over de stad. Er vlogen vogels op. Plotseling voelde ik me nuchter, en helderder dan ooit tevoren.

Sali had haar eigen ontsnapping bekokstoofd. Daar had ze mij helemaal niet voor nodig. Ook zij stond op het punt me achter te laten. Maar het deerde niet. Integendeel.

'Ik ben blij voor je,' zei ik tegen haar.

Ze stak haar arm in de mijne en leunde met haar hoofd tegen mijn schouder.

We bleven roerloos op de trap zitten en zeiden een hele poos niets tegen elkaar. Om ons heen werd het alsmaar drukker. Handelaren, toeristen, straatmuzikanten en clowns: een hele karavaan trok aan ons voorbij.

Een klein uur later zei ze dat ze weg moest gaan om haar tas te pakken en de laatste boodschappen te doen met haar moeder.

Ze kwam overeind en kuste me op de lippen.

'Ik geloof dat langeafstandshuwelijken de meeste kans van slagen hebben, denk je ook niet?' vroeg ze speels. Ik zei dat ik het daar roerend mee eens was.

'Ik geloof dat we een voorbeeldig hedendaags koppel zijn,' zei ze tevreden. 'De radiomensen zouden trots op ons zijn.’ Ik bood aan met haar naar het station te wandelen, maar dat wilde ze niet. Ze liep eigenwijs de trappen af, maar hield halverwege haar pas in.

‘Hé, Sam!’ riep ze vrolijk. Ze liet me de rug van haar linkerhand zien. ‘Bedankt voor de ring!’ Ze glimlachte breed. Ik zwaaide en keek haar na terwijl ze de trappen af liep, de bedwelmende drukte in.

‘Wacht!’ hoorde ik een meisjesstem roepen. Ik stond op het punt over het poortje in het metrostation te springen. Ik keek achterom en zag een lang, blond meisje gekleed in een kleurrijke outfit dat met grote, olijke stappen op me af liep. Het was Sylvie. Ik liet me van het poortje glijden en wachtte tot ze bij me was.

‘Ik zei toch dat we elkaar weer zouden zien?’ zei ze terwijl ze me stevig tegen zich aan drukte. ‘Waar ga je heen?’

‘Geen idee,’ antwoordde ik, want ik wist het echt niet.

‘Ik ga naar een tentoonstelling. In Saint-Michel. “Saint-Michel”!’ herhaalde ze met een Frans accent. ‘Vind je dat niet mooi klinken?’

Haar haren staken wild in de lucht.

‘Ja,’ zei ik.

‘Mooi!’ Ze sprong over het poortje en bleef aan de andere kant op me wachten.

‘Kom je nog?’ vroeg ze ongeduldig.

Ik sprong haar achterna en we liepen samen de roltrappen af.

Twee dagen later stond ik bij de receptie van het Elisabethziekenhuis in Amersfoort. Een mevrouw achter de balie zocht in het systeem en belde vervolgens met de afdeling waar mijn moeder lag. Ik keerde me om en bekeek het trage verkeer van patiënten. Voortbewegen betekende hier pijn. Een zwaarlijvige man in een rolstoel werd moeizaam geduwd door een zwetende verpleegster. Een jongen op krukken strompelde met zijn moeder naar binnen.

'Goed nieuws,' zei de receptioniste. 'Uw moeder is zojuist ontslagen. Ze komt nu naar beneden. Wilt u in de wachtruimte plaatsnemen?'

'Ik wacht bij de taxistandplaats,' zei ik.

'Prima,' antwoordde ze vrolijk. 'Dan zorg ik dat ze naar u toe komt.'

Ik liep door de schuifdeuren naar buiten. Het was een zonnige dag, de laatste dag van de zomervakantie. Het ziekenhuis lag er vredig bij.

Bij de taxistandplaats zaten een paar oude mensen te wachten. Ik zag een vrij plekje en liep ernaartoe.

'Zal ik plaats voor je maken?' vroeg een oude vrouw die midden op het bankje zat.

Ik zei dat het niet nodig was, maar ze was al opgeschoven. Ik ging zitten, sloot mijn ogen en richtte mijn gezicht naar de zon.

'Dat is het,' zei de oude vrouw. 'Daarom zitten wij hier; hier word je nooit oud.'

'Wilt u er ook bij?' hoorde ik haar aan iemand vragen. Ik opende mijn ogen en zag mijn moeder voor me staan. Ze leek afwezig maar opgelucht. Ze ging naast me zitten.

'Is de poliep verwijderd?' vroeg ik haar een paar tellen later.

Ze knikte zonder me aan te kijken.

'Hoe was Zeeland?' vroeg ze met een zwakke stem.

'Open zee,' antwoordde ik. We staarden zwijgend voor ons uit, alsof de golven voor ons dansten.

Deze uitgave kwam mede tot stand door een bijdrage van het Amsterdams Fonds voor de Kunst.

Meneer Sadek en de anderen van Kaweh Modiri werd in het voorjaar van 2012 in opdracht van Uitgeverij Thomas Rap te Amsterdam gedrukt bij drukkerij Bariet, Steenwijk. Het omslag werd ontworpen door Studio Velrood, de typografie van het binnenwerk werd verzorgd door Aard Bakker, Amsterdam. Het auteursportret is gemaakt door Merlijn Doomernik.

ISBN 978 94 004 0381 9
NUR 301